上念 司

日本分断計画

——中国共産党の仕掛ける保守分裂と選挙介入——

ビジネス社

まえがき

56年ぶりに東京で開催された五輪で、我々は歴史的な「手のひら返し」を目撃した。約1年以上にわたって反対の世論を煽り続けたマスコミ、野党、左派系文化人が7月23日の開会式を境に突如としてその主張をひっくり返したからだ。

象徴的な事件は、立憲民主党の蓮舫議員のツイート炎上だろう。蓮舫氏がスケートボードで金メダルを獲得した堀米雄斗選手に対して「素晴らしいです！　ワクワクしました！」とツイートすると、ネット民は即座に反応した。「2日前まで反対してたのに」「応援しなくていいです」「すごい手のひら返し」「あんだけ　中止しろ　と叫んでおいて」「どの口が」「あきれた」といった大量リプが飛び、まさに炎上状態となってしまったのだ。蓮舫氏は「五輪で健闘された選手へのTweetに『反対してたのに』と言う反応がありますが、選手への応援と政府の危機管理体制への姿勢は別です」と苦しい言い訳をしたが、それがかえって火に油を注ぐことになる。まさに大炎上となってしまったのだ。

手のひら返しはこれだけではない。開会式の最中に抗議デモをしていた中核派も、最後に花火が上がると一斉に携帯を構えて撮影する体たらくをネットに晒される。ネット民から即座に「特等席で楽しんでんじゃねーよ」「こいつらが一番楽しんでる」と突っ込まれ笑い者になった。また、直前までオリンピック反対の急先鋒だったTBSサンデーモーニングは、開会式の2日後（7月25日）の放送で日本人選手の活躍を大いに伝え、多少の苦言は呈しても反対の「ハ」の字も出さない変わりようだった。

テレビだけではない。朝日新聞は5月26日の社説で「（社説）夏の東京五輪　中止の決断を首相に求める」と社を上げて五輪開催に反対していた。さらに開催直前の7月17、18日に実施した世論調査で、五輪開催反対が55％という「世論」を示した。朝日新聞の言葉を借りるなら、命を軽視し、選挙目当ての人気取りで五輪を強行する菅政権は許せないはずではないのか？　そこまで反対するからには、当然五輪の記事なんぞ一切掲載しないもだと思っていた。ところが、私は甘かった。開会式の2日後にはこのザマだ（次ページ参照）。

さらに、東京都議会議員選挙において、「五輪中止か再延期を！」という公約を掲げて戦ったあの立憲民主党が、突如としてその看板を下ろした。枝野幸男代表は7月29日の記者会見で、東京五輪について、かえって混乱を招くとして中止を求めないと言い出したのだ。今までの反対は何だったのだろうか？

　どうもマスコミ、野党、左派系文化人の中で筋金入りの五輪反対は極めて少数で、大多数はその場の雰囲気に流されて発言しているだけだったようだ。テレビは視聴率、新聞は部数や広告が伸びてナンボのビジネスモデルである。

朝日新聞
7月25日
王者内村、挑戦に幕
TOKYO 2020
高藤「金」1号
「軍民半導体」米の反転攻勢
国交省 近く実証実験

　五輪が開幕して日本人選手のメダルラッシュが始まったら、当然多くの人がそれを応援する。すると、新聞はそれまでの論調を１８０度ひっくり返してこれに寄り添い始める。世論に迎合し、むしろそれを助長する行動というのは、彼らの経済合理性ゆえの宿命なのだ。

　しかし、これは非常に危険なことではないだろうか？　人間は感情的になって頭に血が上っている時が一番危ない。大抵そういう時は正しい判断ができないし、後先考えずに大きすぎるリスクを取ってしまうことが多い。ところが、マスコミ報道はむしろ人々の感情を煽ってナンボだ。コロナ禍で経済的な停滞が続き、人々のストレスが溜まっていた。だから、政権批判をして人々を煽り、ストレスを解消させていた。五輪反対の論調もこの延長線上にある。五輪の運営を徹底的に叩いて、ストレス解消だ。

かつて、インターネットはこういったマスコミのビジネスモデルに一石を投じる役割を期待されていた。ところが、いまはむしろ、マスコミと一体になってより激しく人々の感情を煽るツールに成り下がっている。ツイッターやフェイスブックはユーザーの志向性を分析し、タイムライン上に表示される投稿を最適化してしまう。その結果、自分と同じような人が集まるエコーチェンバーが形成されやすくなり、極端な考えが助長されるのだ。また、ユーチューブは、基本的には再生回数に応じて広告料が支払われるので、作り手側は数字欲しさに無理をする。結果として感情を煽るネタが多くなる。もちろん、そのネタはウソでも構わない。再生されれば何でもいい。

実は、マスコミもSNSもユーチューブも、結局感情を煽って数字を稼ぐビジネスである点は共通なのだ。だからこそとても危ない。なぜなら、このビジネスは国民世論を間違った方向に誘導するための道具にもなりうるからだ。

金さえ儲かれば後はどうでもいい作り手側は一種の「機会主義者」である。そして、目先の数字のためにウソでも何でも拡散する彼らを利用しようとする悪い奴がいる。それはいわゆる権威主義国家と、それに支援された非国家主体だ。

2021年5月25日、フランスではネット上のインフルエンサーやユーチューバーに対し、ファイザーのワクチンを中傷すると見返りに金銭を支払うという謎の依頼が飛び交った。報道によれば、「依頼メールを受け取ったのは、健康や科学の分野で積極的に発言している人々」で、イギリスの広告代理店から匿名のクライアントとのパートナーシップを提案するメールが届いたそうだ。

ユーチューブで120万人近いフォロワーを持つ人気科学チャンネルを運営するレオ・グラッセ氏は、「奇妙な話だ。動画でファイザーのワクチンをたたくことを含むパートナーシップ提案を受けた」とツイートした。「莫大な予算があって、クライアントは正体を伏せたい、そして契約を隠さなければならない」という提案だったという。

さらにグラッセ氏は、「信じられないことに、連絡してきたロンドンの代理店の住所は偽物だった。そこにそんな会社は最初から存在せず、レーザー手術センターだった。スタッフ全員のリンクトインのプロフィルもおかしい」と指摘した。

グラッセ氏が見つけたプロフィルは現在は消えているが、同氏は確認した時、「全員にロシアでの勤務経験がある」ことに気付いたという。

https://www.jiji.com/jc/article?k=2021052604157l&g=afp

今回の依頼はその内容があまりにストレートすぎたし、背後にロシアの影が透けて見え過ぎたため、作戦は失敗に終わったようだ。しかし、油断は禁物だ。ロシアや中国のような権威主義国家はこの手の作戦を常に仕掛けている。そして、極めて残念なことに日本をはじめとした自由主義世界には利用できる機会主義者がゴマンといる。

東京五輪の場合、日本人選手の素晴らしい活躍で人々は目を覚ますことができた。多くの人がアスリートを応援し、前向きな気持ちになってしまったので、マスコミはネガティブな報道をしづらくなった。

しかし、9月以降に予定される日本の国政選挙では、日本人の感情を徹底的に煽り、正常な判断ができないようにありとあらゆる工作がなされるかもしれない。

後に詳細に述べるが、特に「習近平の共産党」にはそうしたいだけの強い動機がある。

それは習近平自身の存亡をかけた戦いでもあるため、その工作に対する思い入れは相当なものだと思った方がいい。マスコミの中にいる中国の「古い友人」はもとより、数字目当てのネット上のインフルエンサーなんぞは簡単に利用されることだろう。

本書は情報ウイルスから国民を守るワクチンのように機能することを企図して書かれた。そのため、権威主義国家のバラまく情報ウイルスとそれを媒介し拡散するマスコミやインフルエンサーの関係、構造を明らかにしつつ、欧州や台湾で発覚した実際の工作活動について詳しく解説する。それらを踏まえ、いま日本に何が仕掛けられ、その罠に嵌ると どんなことが起きるのかを徹底的に考察していきたいと思う。最後までお読みいただければ、筆者として幸甚の極みである。

2021年8月

上念　司

日本分断計画――目次

心の中の何かが壊れてしまった人たち　43
左派メディアに保守叩きのネタを提供　46
限界系極右と限界系極左が融合する日！　50
「使える！」と膝を打つ外国の工作機関　53

第2章　人知れず敵を破壊するハイブリッド戦争

第3章　2021年9月、日本を襲う危機

第4章　中国のハイブリッド戦争・日本防衛へのシナリオ

第1章

私が巻き込まれた『陰謀論者』との攻防

アメリカ大統領選後に浴びた罵詈雑言

2020年11月4日、それは突如として始まった。

私は、日本時間11月3日からアメリカ大統領選挙の開票速報として、自身のYouTubeチャンネルに連続で動画をアップしていた。ご存じの通り、接戦州における開票結果は当初トランプ氏がリードしていた。しかし、日本時間の未明にかけて郵便投票の開票が進むと、トランプ氏リード接戦州はバイデン氏リードに変わっていた。そして、保守系の放送局として知られるFOXテレビがこれらの州でバイデン氏の当確を出した。万事休す。

私はトランプ氏の再選を望んでいたが、どうも現実はそうではないらしかった。経済評論家で本の著者という肩書は、私の世を忍ぶ仮の姿だ。私の本業はあくまでも中小企業の経営者である。経営においては常に願望が実現しない事態が起こりうる。中期経営計画が変更されるのは大企業ですらよくあることだ。

経営者には、現実が当初のプランと乖離して計画達成が見込めない状況になったら、そのことを説明する義務がある。そして、その説明は早ければ早いほど被害が少ない。企業のリスク管理においては当たり前のことだ。

私は本業の経営者マインドから、トランプ大統領が残念ながら当選できないことを早めに知らせる必要があると思った。だから、私は11月4日の朝アップロードした開票速報の最後の動画で、率直にこの現実について述べた。「トランプさん、夢をありがとう」と。

ところが、この動画がアップされた直後、私は説明責任を果たしたことを評価されるどころか、その反対にありとあらゆる罵詈雑言を浴びることになった。例えば、この動画を紹介したツイートには以下のようなリプが付いた。リプしたのは一般の方なので、本文だけを抜粋して掲載する。

はぁ？　似非保守と分かってから、
あなたの出る動画は見ないし、
会費も払いたくない。

上念　おまえはどっちの味方だ！　笑い飛ばすなよ　「西太平洋がチャイナ支配下になるかも」　なんだぞ！

夢⁉　上念さんにはガッカリ。長いものに巻かれる、ただのお調子者じゃん。
YouTube見るのやめるわ

オマエはまわし者か？
まだ分からねーだろ。

バイデンが大統領になっても議会が支那に強硬だから大丈夫とか発言してましたが、大統領の権限が強いアメリカで果たして……
オバマの世界の警察をやめる発言で混乱した事を考えれば、バイデン大統領誕生は世界の危機だと思う！！

上念さん、なんで怒らないの？　怒ってもしょうがない、大人に対応しましょう、ですか？　しかしなぜ笑いながら楽しそうに語れるのか私にはわかりません。チャンネル登録やめました。今までありがとうございました。さようなら。

最終的にはトランプ大統領が勝つと思います。

結局、金の匂いの方へ行くんですね　だから百田さんに嫌われる

果たして「夢」で済むでしょうか?

不正の証拠が次々と上がっている状況ですから、勝負は終わったとは思えず、むしろこれからのように思います。

「トランプ落選」を確信した数々の証拠

視聴者は現実を直視するよりも、夢を見続けることを望んだわけだ。放送法遵守を求める新・視聴者の会の事務局長として普段からフェイクニュースと対峙してる私だが、なぜテレビからフェイクニュースがなくならないか、その理由の一端を垣間見た気がする。人は見たいものしか見たくない。現実が見たくないモノだった場合、それを伝える人間が悪

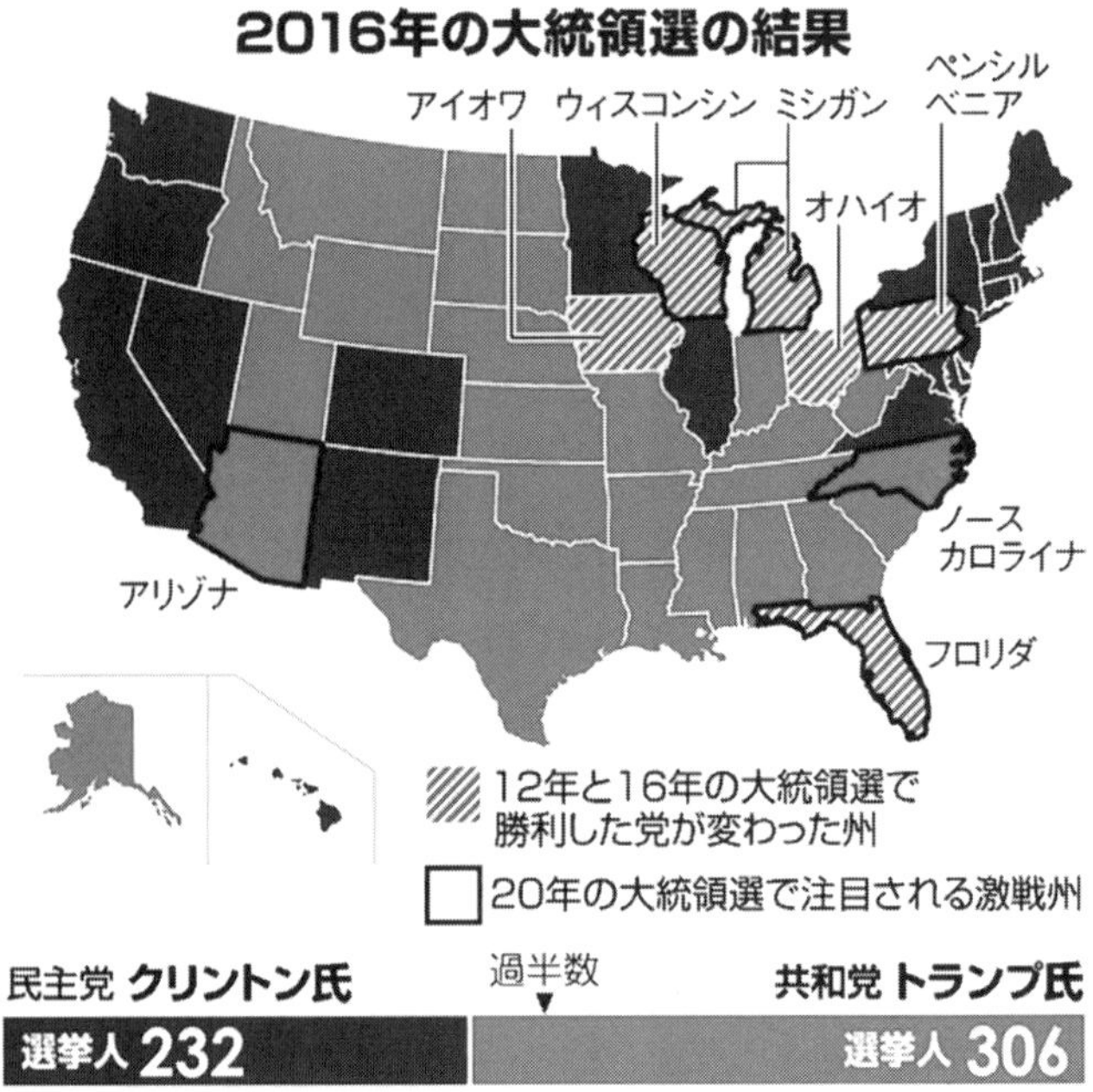

https://www.asahi.com/articles/photo/AS20200827001243.html

いのだ。これはある種の言霊信仰である。言霊信仰とは、言語そのものに霊力が宿っているという信仰のことであり、ある言葉を口に出すとその内容が実現するというものだ。この考えに基づくと、「トランプ落選」と言ったり、書いたりすればトランプ氏は本当に落選してしまうことになる。言霊信者たちにとって、11月4日の私の動画はトランプ氏に呪いをかける、あってはならない動画だったのだろう。

しかし、現実は全く異なる。

アメリカ大統領選挙は「ウィナー・テイクス・オール」と呼ばれ、州ごとの投票で勝利した候補者がその州の選挙人を総取りするシステムになっている。そのため、接戦州を落とせば、その州の選挙人はすべて対立候補に流れてしまう。

前ページの図は、2016年の大統領選挙でトランプ氏が当選したときの選挙人獲得結果を示している。この時はトランプ氏はもともと共和党の地盤である「バイブルベルト」と呼ばれる南部諸州を制し、さらに本来民主党の地盤とされていた五大湖周辺からペンシルベニア州に連なる通称「ラストベルト」と呼ばれる地域にも切り込んで多くの州で勝利した。

ところが2020年の大統領選挙では、前回ラストベルトでトランプ氏が獲得したウィスコンシン、ミシガンを落としたことが早い段階で分かってしまった（22ページ上図）。

さらに、大統領選挙で一貫してトランプ氏を支持していたFOXニュースが11月4日にはアリゾナ州でバイデン氏に当確を出すという始末。アリゾナ州は過去24年間にわたって大統領選挙で共和党候補が連勝し続けた州である。これは情勢がかなり厳しいと思わざるを得ない。

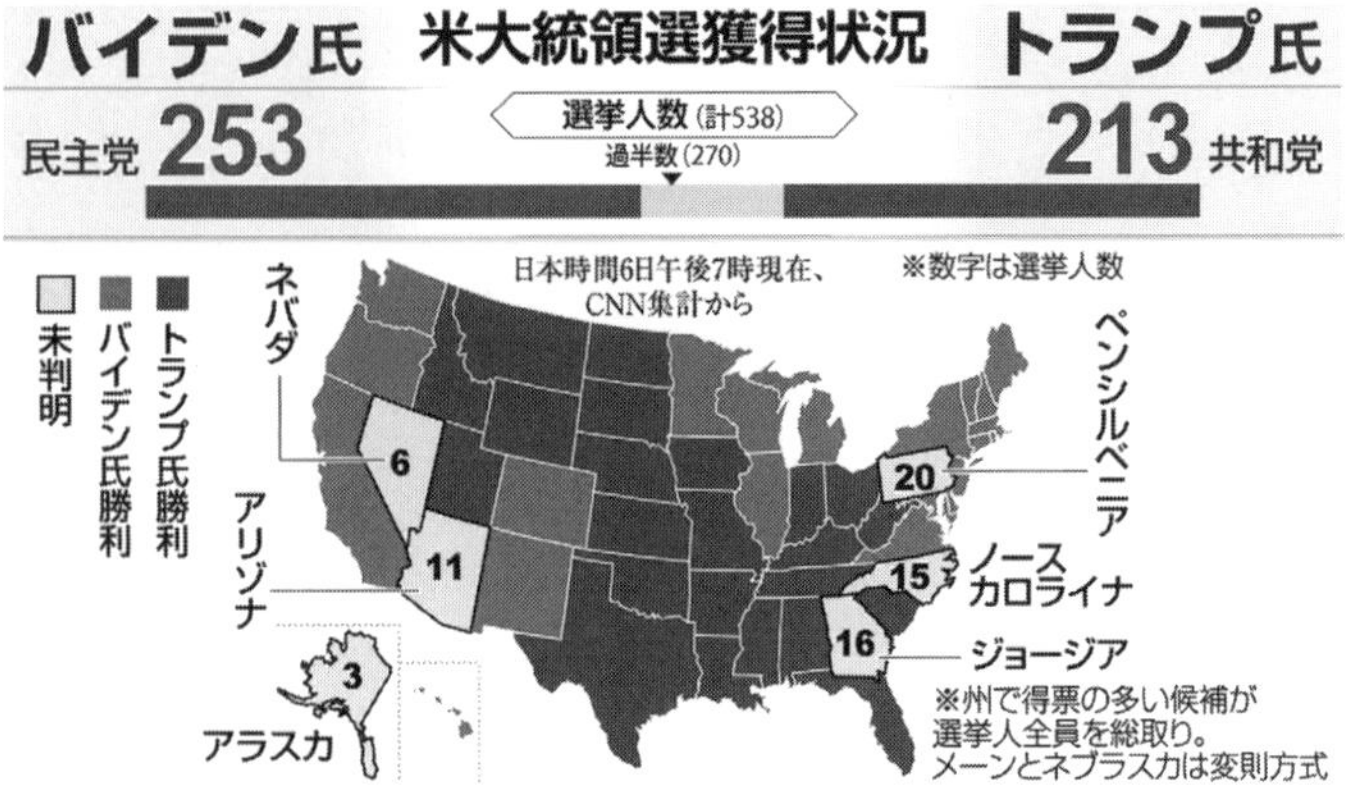

産経新聞　2020年11月7日
https://www.sankei.com/article/20201107-7HGOFNENZJIMRAL4M3RUVXXDO4/

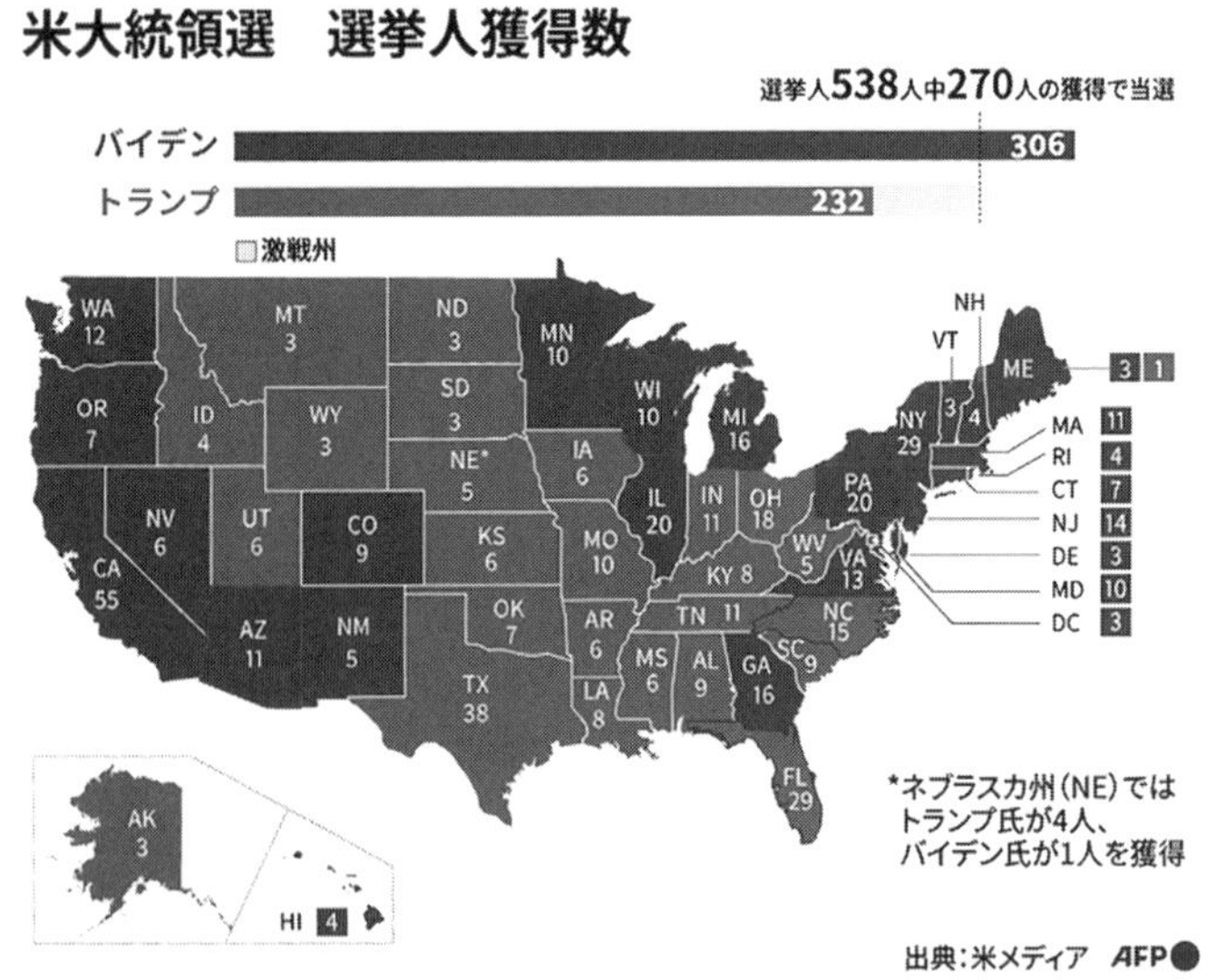

AFP　2020年11月14日
https://www.afpbb.com/articles/-/3315633

産経ニュース
バイデン氏勝利へ加速　重要2州でトランプ氏を逆転 - 産経ニュース（前ページ上図）

引用した産経新聞の記事は11月7日のものだが、残った接戦州のペンシルベニア、ネバダはもともと民主党の強い地域であり、トランプ氏の当選はほぼ難しいだろうと判断せざるを得なかった。実際にそれから7日後の11月14日、ＡＦＰ通信は大統領選挙の結果を前ページ下図のように伝えている。

前述の通り、私は経営者マインドから、悪い現実は早めに知った方がダメージは少ないと考えた。だから、トランプ氏の当選が難しいことをいち早く伝えるのはいいことだと思っていた。そして、私の予想は実際に的中したわけだ。それを予想するのは大して難しいことではなかったし、現実を客観的に見れば必然的に導かれる結論だった。

ところが、私の考え方は一部の視聴者の心情とは乖離していたようだ。私はその点について配慮が足らなかったと思う。しかし、仮にそのことに気づいていたとしても、この時点でトランプ当選が現実的に難しいことは動画で伝えただろう。もう少し言葉を選んだかもしれないが、それでもその主張は変わらない。事実は事実、願望では曲げられない。

私が2001年に独立して、曲がりなりにも20年間自分の会社を存続できたのもこの経営者マインドのおかげだと思っている。また、言論人として、話を聞く相手によって自分を使い分けるようなやり方は卑怯だと思うし、そういうのが嫌だから地上波に積極的に出るのをやめたぐらいだ。

私に悪口を言い続けた百田尚樹氏

11月4日の動画をアップして以降、「上念は裏切った」、「バイデン推しになった」、「動画の広告目当てで寝返った」といった事実無根の流言飛語が私を襲った。私の動画に低評価ボタンを押すように煽る人々が現れる。世にいう「炎上」の始まりだ。

とはいえ、その騒動に参加する人のほとんどはネットの匿名さんだ。実名で私を批判し続けた人は、作家の百田尚樹氏をはじめとした数えるほどの人たちでしかなかった。

ここで私と百田氏の因縁について少し説明しておこう。百田氏と私は2020年1月の武漢肺炎パンデミック対策を巡って1年以上意見がぶつかっていた。百田氏は私と番組で公開討論することはせず、ツイッターで事あるごとに私の発言等を取り上げてコメントしていたのだが、当時は同じ「虎ノ門ニュース」でレギュラーをやっていたこともあり、放置してさして実害もないと思い反論せずにいた。

ところが、百田氏の行為はその後ずっと続いた。それは彼のツイッターの履歴を見ていただければ今でも検証可能だ。百田氏の小説『カエルの楽園』の続編を読んだ一般の方から、「エコノミンというカエルが上念さんを揶揄している、酷い」との連絡をいただいたが、私は特に抗議もせず放っておいた。

私は言論人であり、言論で勝負を挑まれたら言論で返すべきだと考えている。百田氏の1年以上にわたる私への非難は言論というレベルには達していない、単なる悪口でしかないと評価している。悪口に反撃するのは、その悪口が実害を与え、それが看過できないレベルに達したときだ。

11月4日以降、百田氏はその一線を越えてしまった。私は仕方なく反撃することにした。百田氏とのバトルは週刊誌レベルではとても面白い話になるかもしれない。しかし、ここでは敢えてその詳細には触れないでおく。ネット上には様々なまとめサイトがあるので、興味のある方はそちらで確認してほしい。

私が問題にしたいのは百田氏が11月4日以降ずっと強弁していた陰謀論のほうだ。アメリカ大統領選挙は不正選挙であり、本当の勝者はトランプ氏であるというその主張は、1月20日のバイデン大統領の就任式まで一部の勢力に信じられていた。何を隠そう、その陰謀論を吹聴していたのはトランプ氏本人である。アメリカで広く信じられていたQアノンの陰謀論に便乗したその主張は、最終的に連邦議会議事堂占拠事件へと発展したことは記憶に新しい。

Qアノンの陰謀論とは、日本の匿名掲示板「5ちゃんねる（旧2ちゃんねる）」のアメリカ版〝4chan〟〝8chan〟を起源とする都市伝説で、世界を陰で操る闇の政府（ディープステート、DS）が、悪魔崇拝者、小児性愛者、人肉嗜食者などに牛耳られており、ドナルド・トランプ氏はDSと戦うために神に遣わされた光の戦士という設定になっている。

DSの正体は時にはユダヤ人であり、国際金融資本であり、民主党や共和党を問わずエスタブリッシュメントの政治家たちであり、IT企業の経営者たちだったりする。なぜかCIAはDS側に味方しており、軍は光の戦士側だ。さらに言うと、世界を陰で操るほどの力を持っているDSだが、最近は中国共産党という操れない存在もあるらしい。もともとが与太話だけにこの辺の設定はテキトーだ。

ところが、こんなしょうもないQアノンの陰謀論は日本においても根強い支持を獲得した。そのことに貢献したのはネット上の保守系動画チャンネルの主要登場人物たちである。この件については、内藤陽介氏の著書『誰もが知りたいQアノンの正体』に詳しいので、該当部分を一部引用する。

米国大統領選挙後まもない二〇二〇年末から二〇二一年初めにかけて、こんな感じのツイートが一部のネット界隈を賑わせました。

加藤清隆（文化人放送局MC）@jda1BekUDve1ccx 二〇二〇年一一月一七日
今回もしアメリカ大統領選挙で〝大逆転〟が起きるとしたら、決め手は集計ソフト・ドミニオンのフランクフルトにあるサーバーを米軍が急襲し、押収したこと。これで不正の全容が判明する。12年前から計画されていたとされ、オバマ氏らが事情聴取を受ける可能性も。また中国絡みでバイデン候補の聴取があるかも。

ツイート主は、大手通信社で米国特派員や政治部長、解説委員などを歴任したジャーナリストで、他にも、作家の百田尚樹氏ら「保守系」とされる言論人が似たような内容のツイートを盛んに行っていました。

（中略）

端的に言ってしまえば、単なるガセネタだったわけで、彼らが拡散しようとした「フランクフルト奇襲作戦」は、ごく一部の人々を除き、日本社会の大半からはほとんど相手にされずに終わりました。そもそも、そうした話が一部のネット界隈で話題になっていたことさえ知らないという人の方が多数派でしょう。

それが極めて常識的な反応だと思いますが、それでは、なぜ、大手通信社の要職を歴任したほどのベテランジャーナリストがいとも簡単に騙され、それをツイートで拡散させる醜態をさらしてしまったのでしょうか。もちろん、そこには、老化に伴う知力や認識力の衰えという個人的な事情もないではないでしょうが、彼以外にも、〝トランプの勝利〟を主張し、嬉々としてこの種のツイートをしていたジャーナリストや言論人が何人もいたことを見逃してはなりません。

ガセネタをツイートで拡散させるだけなら、拡散させた人間が単に愚かだったというだけで話は済むのですが、二〇二一年一月初旬には、大統領選挙を巡るガセネタを信じた一部の人達が、米国連邦議事堂に侵入し、死者まで発生する騒動まで起きたとなると、笑い話では済まなくなってきます。
（『誰もが知りたいQアノンの正体』内藤陽介著、ビジネス社）

ジャーナリスト・有本香氏が流した不正確情報

内藤氏が言う「〝トランプの勝利〟を主張し、嬉々としてこの種のツイートをしていたジャーナリストや言論人」のツイートをいくつかサルベージして掲載しておこう。まずは百田尚樹氏のツイートからだ。

百田氏は作家であり、勘でモノを言うのは自由だ。さらに言えば、勘が外れたときの説明責任もない。作家とは作り話をする人であり、事実であることより読者を喜ばせることが優先される。おそらく百田氏は自分のツイッターのフォロワーを喜ばせようとしてこのようなツイートをしただけであり、特に根拠があって主張したわけでもないだろう。

しかし、百田尚樹氏に近い、有本香氏はジャーナリストを自称している。ジャーナリストならば作家とは桁違いに情報の正確性が求められる。もし百田氏に便乗して適当なご追

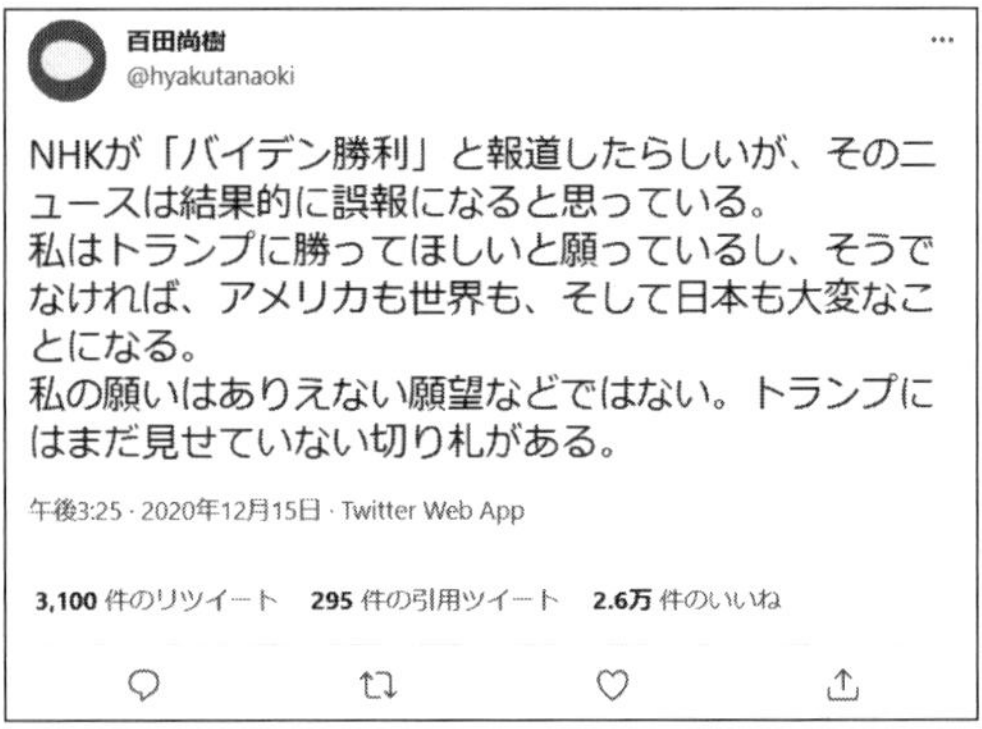

従をかましていたのなら、それはジャーナリストの仕事とは言えない。有本氏はシドニー・パウエル弁護士が、不正選挙の証拠があると言ったことを擁護する発言をしていたが、実際にこれらの証拠は裁判所に却下されている。この点について有本氏から未だに何の釈明もない。本人は「断定してないのでセーフ」という謎ルールを主張しているらしいが、ジャーナリストならもっとマシな言い訳を考えるべきだろう。

不正選挙の証拠はドイツ有数の大都市フランクフルトで押収されたドミニオン社のサーバーである。その際、米軍のデルタフォースとサーバーを守っていたＣＩＡの特殊部隊が銃撃戦をしたそうだ（Ｑアノンの設定では、ＣＩＡはディープステート側、軍は光の戦士側である。アニメ『装甲騎兵ボトムズ』の第1話で小惑星リドにある味方の基地を襲撃する謎の作戦が登場するが、まさにそれを地で行くファンタジーだと思う）。

これ以降、ＣＩＡ長官が逮捕されてグアンタナモ基地に収監されているとか、シドニー・パウエル弁護士が不正選挙の決定的な証拠（通称：クラーケン）を持っているとか、ペンス副大統領がバイデン氏の大統領就任を認めないとか、国境の向こう側（カナダ領？）に中国人民解放軍20万人が集結してミシガン州に進軍してくるとか、ありとあらゆるデマが飛び交った。いずれも荒唐無稽。小学校高学年の子供にも突っ込まれそうな痛々しい内容のものばかりだ。

有本 香 Kaori Arimoto
@arimoto_kaori
「我々はこの混乱を収拾させるつもりだ。トランプ大統領が大勝したことを証明し、有権者にアメリカ合衆国を取り戻す」
涙を堪えながら話すパウエル弁護士の生の言葉をどう捉えるかは各人の感覚による。しかし、法廷闘争はこれからという現段階で、「証拠がない」と言い立てるのは、まさに論外。
GOP @GOP · 2020年11月20日
"We will not be intimidated...We are going to clean this mess up now. President Trump won by a landslide. We are going to prove it. And we are going to reclaim the United States of America for the people who vote for freedom."—Sidney Powell
WASHINGTON, DC
SYDNEY POWELL
Trump Campaign Lawyer
C-SPAN3
0:52 426.4万回表示
Election officials have certified Joe Biden as the winner of the U.S. Presidential election
午後8:59 · 2020年11月20日 · Twitter for Android

もちろん、フランクフルトで銃撃戦があった事実は未だに確認されていない。大体、そんなものはあるわけがない。また、不正選挙の証拠があると吹聴し続けたシドニー・パウエル弁護士は逆にドミニオン社から名誉毀損で訴えられ、自身の発言は「単なる政治的な発言で事実を述べたものではない」「まともな人はこれが事実だとは考えない」と言い訳している始末である。「涙を堪えながら話すパウエル弁護士の生の言葉」は政治的な発言だったのだ。

政治的発言を真実だと思った人はまともではない

突然の梯子外しに、日本のインフルエンサーたちは混乱した。すでに原文がネット上に出回っているにもかかわらず、「誤訳だ！」「切り取りだ！」と言って譲らなかった人もいる。またしても有本氏だ。

ジャーナリストを自称する有本香氏こそ原文を読んだのだろうか？　ワシントンD.C.の裁判所に提出された当該事件（Case 1:21-cv-00040-CJN）のパウエル氏側の準備書面（原文）の一部と、カリフォルニア州弁護士のケント・ギルバート氏によるその仮訳を引用する。

In short, the speech at issue here is not actionable. As political speech, it lies at the core of First Amendment protection; such speech must be "uninhibited, robust, and wide-open."

要するに、ここで問題となっているスピーチは起訴できるものではない。政治的スピーチは言論の自由の核心にあり、「抑制されておらず、頑強で、広く開かれている」ものでなければなりません。

有本 香 Kaori Arimoto
@arimoto_kaori

どんな気持ちになろうが自由。しかし当時も私は何一つ断定して喋っていませんので。ところで、貴殿はパウエルさんの名誉毀損訴訟の全記録（原文）を読んだのですか？　まさか誰かの受け売りで私を貶めようとそんなツイートしているわけではないですよね？

KAZUYA @kazuyahkd2 · 3月23日
シドニー・パウエルがまともな人は自分の言ったことを事実と思って聞いていないだろうからと名誉毀損訴訟で言い訳している今、有本さんの解説を再び聞くと、なんとも言えぬ気持ちになりますね。 twitter.com/akasayiigaremu...

午後7:41 · 2021年3月23日 · Twitter for Android

534 件のリツイート　95 件の引用ツイート　3,705 件のいいね

Additionally, in light of all the circumstances surrounding the statements, their context, and the availability of the facts on which the statements were based, it was clear to reasonable persons that Powell's claims were her opinions and legal theories on a matter of utmost public concern.

さらに、スピーチを取り巻くすべての状況、その文脈、およびスピーチの根拠となった事実に照らして、パウエルの主張が、公共の最重要な関心事に関する彼

女の意見および法的理論であることは、合理的な人には明らかだった。

Those members of the public who were interested in the controversy were free to, and did, review that evidence and reached their own conclusions—or awaited resolution of the matter by the courts before making up their minds. Under these circumstances, the statements are not actionable.

論争に関心を持った一般市民は、自由にその証拠を検討し、彼ら自身の結論に達した。あるいは、裁判所による問題の解決を待った。このような状況では、スピーチは、起訴できるものではない。

パウエル氏のロジックをまとめると次のようになる。

①政治的スピーチは表現の自由だ。

②大統領選挙に関する私の主張は政治的スピーチであり、合理的（＝まとも）な人には

それが明らかだった。

③私のスピーチを聴衆がどう受け取るかは彼らの責任であり、私は関係ない。だから起訴できない。

つまり、パウエル氏が不正選挙と主張したのは、自身が支持する政治家（＝トランプ氏）をサポートするための「政治的な発言」であって、まともな人はこれが「政治的な発言」だと分かっており事実だとは考えない、というのだ。裏を返せば「これが政治的発言だとは気づかずに真実だと思ってしまった人はまともではない」とパウエル氏が述べているに等しい。

百田尚樹
@hyakutanaoki
私の目には、シドニー・パウエルは、映画の中でしか見られないスーパーヒロインのように見える。

現実にこんな正義と勇気と信念とパワーを持つ女性がいたことに、私は感動している。

アメリカという国の底力を見た思いである。

百田尚樹 @hyakutanaoki · 2020年11月22日
今、世界の正義は1人の女性の手にかかっている。

彼女の勇気と怒りがアメリカを救おうとしている。

彼女の名前はシドニー・パウエル。

私は彼女を信じる。

午前10:59 · 2020年11月22日 · Twitter Web App
316 件のリツイート 24 件の引用ツイート 2,983 件のいいね

百田尚樹
@hyakutanaoki
わし、シドニー・パウエルに惚れたね♥
午前1:48 · 2020年11月23日 · Twitter Web App
380 件のリツイート 39 件の引用ツイート 7,590 件のいいね

パウエル氏が裁判に提出した準備書面でこのように主張している

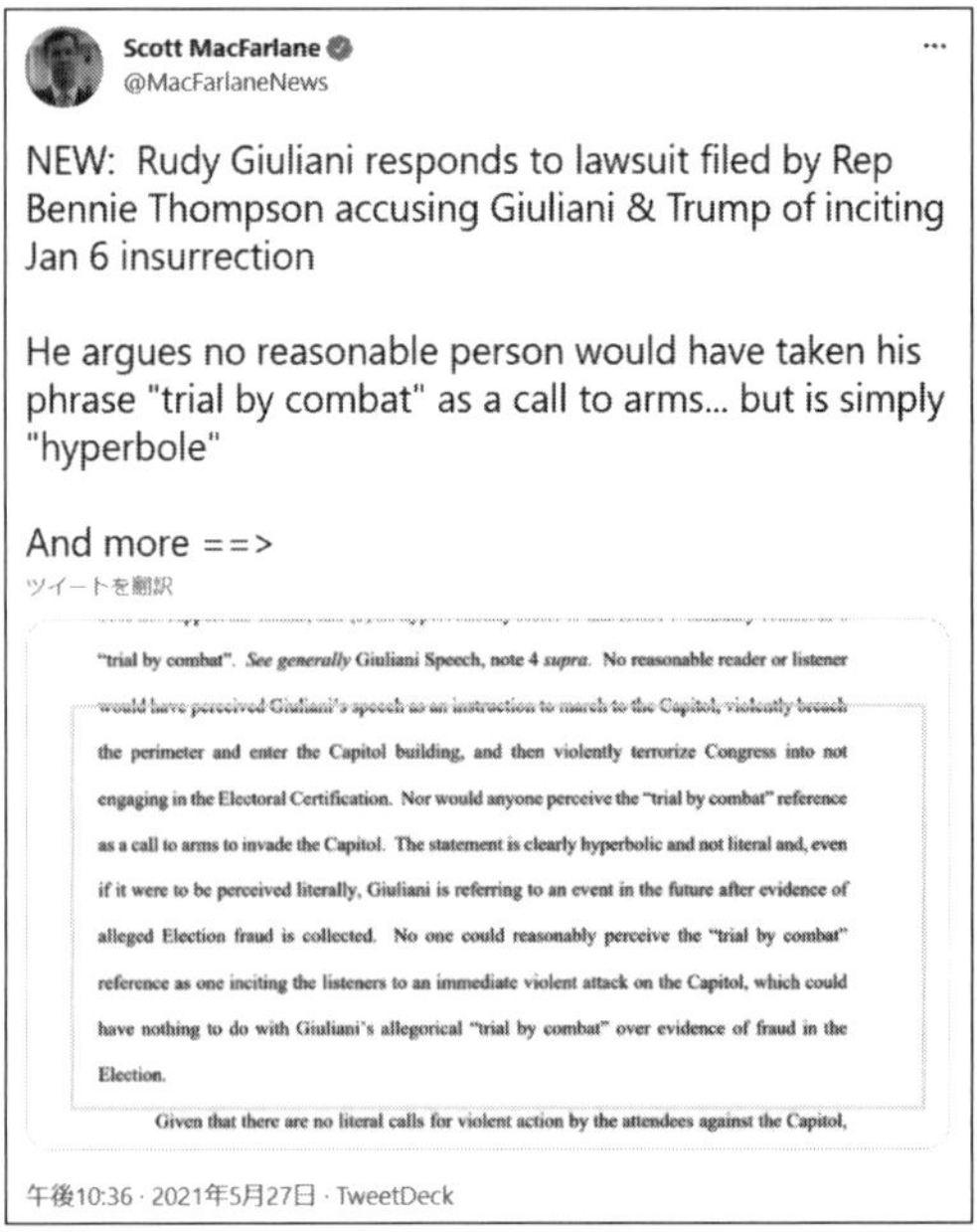
Scott MacFarlane
@MacFarlaneNews
NEW: Rudy Giuliani responds to lawsuit filed by Rep Bennie Thompson accusing Giuliani & Trump of inciting Jan 6 insurrection
He argues no reasonable person would have taken his phrase "trial by combat" as a call to arms... but is simply "hyperbole"
And more ==>
ツイートを翻訳
"trial by combat". See generally Giuliani Speech, note 4 supra. No reasonable reader or listener would have perceived Giuliani's speech as an instruction to march to the Capitol, violently breach the perimeter and enter the Capitol building, and then violently terrorize Congress into not engaging in the Electoral Certification. Nor would anyone perceive the "trial by combat" reference as a call to arms to invade the Capitol. The statement is clearly hyperbolic and not literal and, even if it were to be perceived literally, Giuliani is referring to an event in the future after evidence of alleged Election fraud is collected. No one could reasonably perceive the "trial by combat" reference as one inciting the listeners to an immediate violent attack on the Capitol, which could have nothing to do with Giuliani's allegorical "trial by combat" over evidence of fraud in the Election.
Given that there are no literal calls for violent action by the attendees against the Capitol,
午後10:36 · 2021年5月27日 · TweetDeck

以上、後で会見していくら言い訳しようとこれが彼女の真意だ。もし違うなら準備書面を訂正して再提出すべきだろう。残酷だが、パウエル氏は巨額の賠償金を逃れるために、フォロワーを切り捨てたのだ。もちろん、日本の大物インフルエンサーとて例外ではない。

アメリカ大統領選挙はバイデン陣営の不正行為によって結果が歪められたという主張は、脆くも崩れ去ったと言える。少なくともパウエル弁護士自身がそのように裁判で証言しているのである。では、パウエル氏以外のトランプ応援団はどうだろう？　同じくドミニオン社から訴えられた元ニューヨーク市長で弁護士のジュリアーニ氏は次のように言い訳をしている。ＮＢＣのスコット・マクファーレン氏のツイートを引用する。

ジュリアーニ氏は「まともな人」なら「trial by combat（＝決闘裁判）」という言葉を真に受けて武器を持って集まれなどと誤解しない、それは単なる誇張表現だと主張している。まさにパウエル弁護士と全く同じロジックによる責任逃れだ。

陰謀論者たちの屁理屈は止まらない

もちろん、アメリカ大統領選挙において不正行為がゼロであったとは言えない。日本の選挙でもそうだが、多少の選挙違反はいつの時代にもどの国にもあるだろう。ただし、問題はその不正行為が結果を覆すほど大規模かつ広範なものであったかどうかという点だ。パウエル氏やジュリアーニ氏がまとめた「証拠」はどれも裁判所に却下されるほど脆弱な内容だった。それ以外にネット上を騒がせている「証拠」なるものについても、選挙結果を覆すようなレベルのものは存在しない。あるのは、中国共産党が投票用紙を偽造したとか、カナダに本当の投票用紙を捨てに行ったとか、投票用紙にGPSが仕込まれているといった裏の取れない与太話ばかりだ。

しかし、陰謀論者たちの屁理屈は止まらない。パウエル氏やジュリアーニ氏が挙げた証拠を却下した裁判所も実はＤＳに牛耳られていたと言い出す始末である。もしこの言説が正しいなら、裁判所は今後もトランプ氏や共和党に対して不利な判決を出し続けるはずだ。

ところが、現実は全く異なる。２０２１年7月1日、連邦最高裁判所は西部アリゾナ州の投票規則強化の州法について、投票での人種差別を禁じた「投票権法」に違反しておらず、合法だとの判断を下した。「投票制限法」は大統領選挙の郵便投票を巡る混乱を経て、全米各州で導入または導入が検討されている法律（州法）だ。6月半ばの時点で、全米48州で法案が提出され、14の州で可決されている。一般的に、投票規則を厳格化する州法の制定を主導している共和党に追い風になると言われ、マイノリティーから支持を得ている民主党には打撃となる。日経新聞は次のように報じている。

バイデン大統領は同日、「投票権法を弱体化させる判断」として「深く失望している」との声明を発表した。議会に対し投票権保護を盛り込んだ包括的な選挙改革法案の可決を訴えた。

最高裁の判断の対象となったのは、有権者が指定の投票所以外で投じた票を無効とする州法と、家族ら以外の第三者が有権者の代わりに票を投票所に運ぶ行為を犯罪とした州法。民主党全国委員会がマイノリティーの投票を困難にするとして差し止めを求めて提訴していた。

最高裁は選挙不正の防止は州の利益とした。保守派判事6人が判断を支持、リベラル派判事3人が反対した。

（https://www.nikkei.com/article/DGXZQOGN01EGT0R00C21A7000000/）

大統領選挙の前にトランプ氏が選任した保守派の最高裁判事はしっかりと機能している。DSに操られているならなぜリベラル派に同調しなかったのか？　光の戦士トランプを打ち破ったバイデンは当然DS側だとするなら、この判決は最高裁判事がDSに操られていないことの証拠になるはずだ。だとするなら、パウエル氏の「クラーケン」がすべて却下されたのもDSの仕業ではなく、根拠が薄弱で証拠としては全く使えないネタだったということになる。Qアノンの設定に乗ったとしても、論理的に導き出される結論は「クラーケンはゲソ以下」の代物だったということだ。しかし、こういうまともなツッコミを陰謀論者にしたところで、彼らは目覚めようとはしない。回答を無視するか、論点をずらすか、しばらく黙った後にまた同じことを言い始めるかいずれかである。

ちなみに、もし軽微な選挙違反と根拠のない与太話で選挙結果を覆すことができるならそれこそ民主主義の危機ではないか？　例えば、東京都知事選挙で自分が気に入らない候補の当選が確実だった場合、私は投票券をわざと他人に渡して替え玉投票させればいい。そして、選挙結果が出た後で、「選挙に不正があった！　替え玉投票が少なくとも1回あったのでこの選挙は無効だ！」と訴えるわけだ。不正行為があったからと言って、不正選挙だと決めつけることはこれほど愚かなことなのだ。

中露のプロパガンダの格好の餌食に

日本人にとってアメリカは外国である。アメリカの裁判所が結果を覆すほどの大規模な不正行為を認めず、さらに連邦議会がこの選挙の結果を認定したのであれば、その決定は尊重すべきだ。アメリカは中国とは違い、民主的な選挙で選ばれた連邦議会議員と大統領、さらに大統領に任命された裁判官がいる。彼らが法律の手続きに従って決めたものを「まともな人」なら信じないネタを根拠としてひっくり返せるわけがない。

彼らを否定することはアメリカの民主主義を否定することであり、そうすることで喜ぶのはいったい誰なのかよく考えた方がいい。架空のDSよりも、ロシアや中国のようなリアルな権威主義国家を喜ばすことは明白だ。2021年1月8日、ウォール・ストリート・ジャーナルは「米議会占拠、中露メディアに格好の口実」との記事を掲載し、次のように述べている。

米連邦議会の議事堂への乱入事件を受け、中国とロシアの国営メディアは、米政界の幹部らが民主主義の価値観を損なうとして長い間両国を非難してきたことは偽善だと非難した。

中国メディアは、ドナルド・トランプ米大統領の支持者らによる議事堂への乱入を、2019年に民主派活動家らが自由で公正な選挙を求めて香港の立法会（議会）に乱入した事件を比較した。ナンシー・ペロシ米下院議長は当時、香港民主派の抗議活動を「見ているだけで美しい光景」と表現していた。

中国共産党主義青年団は7日、微博（ウェイボー）に米議会の議事堂での暴力と破壊の写真に同じ言葉をキャプションとして付けて投稿した。

共産党系メディアの環球時報は、ツイッターに米国と香港での議会乱入事件を比較した画像を掲載し、ペロシ氏に対して米議会の議事堂への乱入についても同じ評価をするよう求めた。

ロシアの国営メディアは、米国の法と秩序の崩壊を強調した。

(https://jp.wsj.com/articles/SB12338418453830313752104587207961142193628)

連邦議会に突入した民衆は、ＤＳからアメリカを守るつもりで、必死で頑張ったのかもしれない。しかし、その努力は完全に方向性を間違えていた。中露のプロパガンダの格好の餌食になっただけでなく、自由主義世界のリーダーであるアメリカの権威を失墜させるには十分だったと言えるのではないか？

さらにもう一つ目に見える実害もあった。実は、２０２０年の大統領選挙と並行して実施された上下院議員選挙、州知事選挙、州議会議員選挙において、共和党はむしろ勝利していた。ドミニオンがでたらめで信用できないなら、これらの選挙における共和党の勝利もウソだということになる。ところが、それを問題にするＱアノン信者は誰もいなかった。

このダブルスタンダードは共和党支持者に大きな混乱をもたらした。その結果、再選挙となったジョージア州上院議員選挙において、下馬評では共和党が2議席を取る可能性が高かったにもかかわらず、逆に2議席を失ってしまった。トランプ氏が不正選挙を訴えたあまり、投票しても無駄だと考える共和党支持者が増え、票が減ってしまったのだ。

その結果、大統領、上下院すべてが民主党に取られるというトリプルブルーが実現してしまった。当初は上院だけは共和党が取ると言われていたのに、最後の最後でQアノン陰謀論が仇となった。

振り返って考えてみれば、Qアノンに代表される陰謀論者の主張は間違っていたし、それは彼らが応援している共和党にとってむしろマイナスの効果を発揮したことは明白だ。しかし、2020年末から2021年初にかけて、この事実を日本で指摘するととんでもない誹謗中傷に晒された。アメリカでそういう目に遭うならまだしも、なぜ日本で？

心の中の何かが壊れてしまった人たち

いわゆる保守系動画を視聴している人々の中に、心の中の何かが壊れてしまった人たちが一定数いたのだ。彼らはトランプ再選という願望を捨てられないがために、現実から逃避し、フランクフルト銃撃戦のようなバカバカしい話を垂れ流すインフルエンサーに依存した。そして、そのインフルエンサーたちは商売の邪魔とばかり、現実を語る人を目の敵にして攻撃をし始めたのだ。

彼らに煽られた「ファンネル」たちは、敵と認定した人に襲い掛かった。そのターゲットになったのは、同じ「保守系」に分類されている私やKAZUYA氏やケント・ギルバート氏などである。

その誹謗中傷は事実無根であり、我々を敵としたインフルエンサーがこうあってほしいと願う悪者の姿だった。だからこそ、バイデン推しだの、金のためにやっているだの、人間の屑だのありとあらゆる罵詈雑言が飛んできたのだ。

罵詈雑言では飽き足らず、しまいには動画に低評価攻撃を呼び掛ける悪質なインフルエンサーまで現れた。12月には、虎ノ門ニュースのスポンサーであるDHCに「上念を降板させろ」と投書する運動まで起こり、実際に2020年末に私はDHCテレビのすべての番組から突如降板させられてしまった。まさに毛沢東の文化大革命さながらのリンチである。

ちなみに、百田尚樹氏はその後執拗に上記のような事実無根のツイートをし続けた。これは十分名誉毀損の構成要件を満たすと思われるが、百田氏は作家でありその表現の自由は全力で守りたいと思う。

以前、百田氏はやしきたかじん氏に関する『殉愛』という自称「ノンフィクション」を書いた。しかし、この本はたかじん氏と元妻の間に生まれた長女側から「再婚した妻の話を無批判に受け入れた内容。原告（長女）をはじめとした親族に取材して事実確認をしようとしなかった」（出典：「日刊スポーツ」２０１４年11月22日）と批判され、裁判となっている。最高裁は百田氏の記述を「裏付けを欠く部分が少なくなく、真実と信じる相当性があるとは認められない」と認定し、百田氏の敗訴は確定した。また、この裁判において百田氏はウソの証言をした可能性があることをジャーナリストの角岡伸彦氏が自身のブログの中で厳しく指摘してい

る。

引用したツイートに関して、私は百田氏から何ら取材を受けていない。本人も「これは想像やけど」と前置きしている通り、これらのツイートに登場する「上念司」は百田氏が勝手に想像した人物であり、実際の私とは一切関係がない。だからこそ、私は百田氏の表現の自由を守りたいと思う。

私は、百田氏のツイートについて、敢えてノンフィクションと断らない限りはデフォルトでフィクションだと思っている。わざわざ「ワシの勘では」とか「○○と思う」と断っているのは読者にそれを気づいてほしいという思いからなのかもしれない。しかし、非常に困るのは、このフィクションを事実だと信じて私を攻撃してくる「まともでない人」がいることだ。これは私の想像やけど、百田氏が意図的にこれら「まともでない人」を焚き付けているのであれば、由々しき問題だと思う。

左派メディアに保守叩きのネタを提供

尚、この件について「喧嘩両成敗」とか、「保守分裂を回避するためになんとか収めてほしい」といったご意見を頂戴することがある。ならば、私は保守分裂なるものを防ぐために、敢えて大統領選挙を巡る陰謀論、デマを指摘せずに黙っておけばよかったのか？　私はそうは思わない。

私は保守自由主義者である。中でも言論の自由は最も大事だ。そんな私が同調圧力によって心にもないことを言うことはあり得ない。「韓国では同調圧力が強く、まともなことが言えない」などとしたり顔で批判している保守論客とその支持者が、別の場面では同調圧力に従えと言うのか？　これではリベラルのダブルスタンダードを批判できない。

さらに言えば、私が陰謀論に異を唱えたことで、保守系言論人に多様性が証明されたと思っている。いわゆる保守系言論人のすべてが陰謀論に染まって多様性が失われていたら、左翼はもっと大喜びしていたろう。もちろん、陰謀論側から多様性を失わせるような強烈な同調圧力を受けたのは前述の通りだが、私は圧力には屈しなかった（そもそも、左翼的な手法に異を唱える保守系の人々が、文化大革命のような思想共調圧力をかけてどうするという疑問もあったが）。

それからもう一つ大事な点がある。私は自分の主張に誤りがあった場合、それがどのような原因で生じたか、再発防止のために何をすべきかということを明確にし、なるべく早く訂正するようにしている。言論人としてその程度の説明責任は当然だと思うからだ。ところが、多くの「保守系」と称される文化人が、アメリカ大統領選挙において数々の間違いを犯し、フランクフルト銃撃戦のような噴飯もののガセネタを発信し続けた。その一部はいまだに間違いを訂正していない。それが左派メディアにとって格好のネタとなってしまった。普段、保守系言論人から目の敵にされている朝日新聞に、元しばき隊の政治学者、木下ちがや氏が以下のような論説を寄稿している。

政権移行に伴う基盤の再組織化にてこずる菅政権が迷走を続けている一方で、安倍政権を支えてきた右翼勢力もまた深刻な危機のさなかにあるといえる。この間われわれがネット上で目にしている右翼の姿は、安倍政権下での栄光の姿、すなわち統治権力と強く結びつき、言論界を制覇し、野党政治家を粉砕する雄姿ではない。陰謀論に染まり、本来の敵である左派・リベラルそっちのけに内紛を繰り広げる醜態である。

安倍前総理と親交が深かった百田尚樹、有本香氏ら右派言論人が、TwitterでアメリカⅮ大統領選の不正選挙を唱え、それに異を唱えた上念司らもう一方の「常識的」右翼言論人がネット右翼に攻撃されるという事態をまのあたりにすると、古い世代ならば先鋭化・過激化の末に内ゲバを繰り広げて壊滅していった新左翼の運命を思い起こすだろう。

（中略）

最近の右翼言論についての話題の中心はいうまでもなく「アメリカ大統領選は不正選挙でありトランプは勝った」という陰謀論の席巻である（以下では「トランプ勝ち組陰謀論」とする）。社会学者鳥海不二夫の調査によると、日本の「トランプ勝ち組陰謀論」ツイートは、10万アカウントによる約58万ツイートの集団によってなされたという。そしてこの「トランプ支持層」のうち6割超が安倍晋三前総理を支持する「保守系アカウント」だったという。

10万アカウントだと日本のツイッターユーザーの1％にも満たないが、数十万フォロワーを持つ右翼言論人がこの陰謀論を扇動し、エコーチェンバー現象を引き起こすことでこのムーブメントは成立したのである。ただこのムーブメントに批判的な保守系アカウントも多数存在しており、この陰謀論に加担する言論人、アカウントは「限界ネトウヨ」と名付けられた。つまり「もう限界値を超えてしまい、後戻りできないところに行ってしまった残念な保守」ということだ。Twitter上には〝#限界ネトウヨあるある〟

というハッシュタグがあらわれ、保守系アカウントは「バカな陰謀論者ネトウヨ」との差異化を図ろうとしていた。バイデン氏に勝利の祝辞を述べる菅総理に罵声を浴びせ、バイデンの勝利を受け入れようと説く「常識的」右翼言論人に脅迫じみたメンションを送り続けるこの限界ネトウヨの眼中には、本来の敵である左派・リベラル派はなく、保守派内部の抗争がいまもなお際限なく続いている。

（出典：「限界ネトウヨと右翼へゲモニーの終焉」木下ちがや、論座―朝日新聞社の言論サイト〈https://webronza.asahi.com/politics/articles/2020121900003.html〉）

限界系極右と限界系極左が融合する日！

もちろん、「日本会議陰謀論」であれだけ盛り上がっていた左翼にこんなことを言う資格があるのかと思う人もいるだろう。しかし、いわゆる「保守系」言論人の一部がかつての新左翼のような先鋭化と内ゲバを主導しているという事実は重要だ。内ゲバの「先輩」である左翼にそのことを指摘してもらったのは逆にありがたいことではないだろうか。一部の「保守系」言論人は左傾化し、その行動、言動が新左翼に近くなっているというお墨付きを得たのだから。

ちなみに、木下氏が命名した「限界ネトウヨ」について、私は正確に「限界系極右」と呼称すべきだと考えている。これは「限界系極左」と対をなす言葉だ。

「限界系」とはもともと電車の中のオタクの会話を見た一般人がそのマニアックで理解不能な言動と行動に驚き「もう限界」とつぶやいたことが起源だ。「俺は限界だと思った」の元ネタとなった書き込みを引用する。


今日、電車乗ってたら、前にキモオタが二人乗ってきた。

なんか一人がデカイ声で「貴様は〜〜〜！！だから2ちゃんねるで馬鹿にされるというのだ〜〜〜！！この〜〜〜〜！」

ともう片方の首を絞めました。

絞められた方は「ぐえぇぇぇーー！悪霊退散悪霊退散！！」と十字を切っていた。

割と絞められているらしく、顔がドンドンピンクになっていった。

渋谷でもう一人、仲間らしい奴が乗り込んできてその二人に声をかけた。

「お！忍者キッドさんとレオンさん！奇遇ですね！」「おお！そういう君は＊＊＊＊（聞

き取れず。何かキュンポぽい名前）ではないか！

敬礼！」

「敬礼！出た！敬礼出た！得意技！敬礼出た！敬礼！これ！敬礼出たよ〜〜！」

俺は限界だと思った。

（http://www.paradisearmy.com/doujin/pasok_ore_genkai.htm）

限界系という言葉は、ある特定のエコーチェンバーにどっぷり浸かることで、世間的な意味でのコミュニケーションができなくなっている痛い人から転じて、対話不能の限界突破した人という意味で使われるようになった。極右も極左もある一定の閾値を超えると、フランクフルト銃撃戦や地震兵器、「安倍がピンチになると北朝鮮がミサイルを撃って応援する」「日本会議がすべてを裏で操っている」といった与太話を信じるようになり限界を突破する。これが限界系極右や限界系極左だ。

現在、左右の限界系は反ワクチンという共通のトンデモで一致しつつある。「ワクチンを打つと不妊になる」という有名なデマは旧ソ連が何十年も前に全世界にバラまいたものだが、「右のサンモニ」こと虎ノ門ニュースでこのデマを武田邦彦氏が大いに拡散して話題になった。
いま、左右の限界系を隔てるA.T.フィールドが中和されつつある。いずれサードインパクトが起こって境界が崩壊し、L.C.Lになって融合するのではないか。思想の左右はどうあれ、限界系の村では恐ろしいことが起こっているのだ。そういう意味で、私は2020年末で虎ノ門ニュースを降板させられたことは不幸中の幸いであったと思っている。さすがにここまでくると付き合い切れない。

「使える！」と膝を打つ外国の工作機関

さて、話を元に戻そう。日本の伝統、文化、美徳を守るはずの「保守系」言論人が外国の大統領選挙を期に左傾化し、突如として内ゲバを始める。この醜態を外国の工作機関が眺めていたとしたらどうだろう？　彼らは「使える！」と膝を打つことだろう。実際にロシアはこれを使っている。イギリスのBBCは今年3月に次のように報じた。

米国家情報長官室（ODNI）は16日、昨年の米大統領選でロシアのウラジーミル・

プーチン大統領が、ドナルド・トランプ前大統領を有利にするための工作を承認した可能性が高いという報告書を発表した。

ODNIによると、ロシア政府はジョー・バイデン氏について「誤解を招く、あるいは根拠のない」否定的材料を広める工作をした。ただし、米大統領選の投票手続きや選挙結果そのものに外国政府が具体的な影響を与えた証拠はないという。

ロシアは選挙介入の指摘をこれまで繰り返し否定している。

ODNIは15ページにわたる報告書で、「影響工作」と呼ぶ動きをロシアだけでなくイランも展開していたと指摘した。

〈出典：昨年の米大統領選でもプーチン氏が「親トランプ」工作承認＝米政府報告〈https://www.bbc.com/japanese/56412768〉〉


大統領選挙の結果を巡って日本以上に混乱したのは当事国のアメリカだ。1月6日の連邦議会占拠事件はアメリカ憲政史250年間で最大の汚点となるだろう。あの事件の当事者たちが信じていたのがQアノンと言われる陰謀論だ。もともと、アメリカの匿名掲示板へのQ Anonymous（匿名さんQ）の書き込みを神の啓示に見立ててそれを解釈するネタから始まったムーブメントだったが、いつの間にかそれを本気にする人が増え、ついにはテロ行為にまで走らす恐ろしい陰謀論となった。

最初に書き込んだ人は単にフィクションを書き込んだだけで騒ぎがこんなに大きくなることは想像していなかったのかもしれない。その責任を問われても「知らんがな」と言われてしまうかもしれない。しかし、問題は最初に種をまいた人ではなくて、途中で火に油を注いだ人だ。しかも、その人が外国人で、権威主義国家の工作活動の一環としてやっていたのだとしたらどうだろう？

例えば、今回の大統領選挙において、在米華人メディアの「大紀元時報」（「Epoch Times」）はことあるごとにバイデン氏と中国の不適切な関係を書き立てた。また、韓国の統一教会の分派であるサンクチュアリ教会は、教祖のショーン・ムーン（文亨進）氏がトランプ氏の呼びかけに応じて1月6日にキャピトルヒルに出向いている。そして、文教祖は信者とともに暴動に参加したとみられている。なぜ、かくも外国の影がちらつくのか？

何を隠そう、これが新しい戦争なのだ。武器も使わず、軍隊も動かず、敵国の国民をデマと偽情報で離反させ、同士討ちさせる。自分は手を汚さず、確実にターゲット国にダメージを与える極めてコスパの良い戦争だ。そして、その戦場は陸海空のいずれにもない。

戦場は究極的には我々の脳内、認知領域である。外国勢力が、Qアノンという自然発生した「ウイルス」に人工的な変異を加え、より毒性を強めて認知領域に拡散していたとしたら？　引用したBBCニュースでは、ロシアの工作は効果がなかったと報じられているが、本当のところは分からない。

翻って、日本は大丈夫なのか？　今回の大統領選挙を巡る混乱は、当然日本を敵視する外国の工作機関に目を付けられたと思う。そして、その弱点を突くタイミングが迫っている。衆議院の解散総選挙だ。だからこそ、私はこのことについて語らざるを得ないと思った。この本を緊急出版した理由はまさにそれだ。

朝日新聞は耳が悪いので聞こえていないかもしれないが、軍靴の音どころか私には大砲の爆音が聞こえてくる。２０２1年9月、日本を戦場とした見えない戦争が始まる。そして、日本国民は否応なしにこの戦いに巻き込まれる。敵が日本人を滅ぼすためにまき散らすのは情報ウイルスだ。その感染力は侮れない。免疫がなければ一定の確率で感染者が出て、毒素をまき散らすだろう。

しかし、そんな厄介な情報ウイルスにも弱点はある。そして、対策もある。本書を最後まで読み進めていただければそれが何かはご理解いただけることだろう。

第2章

人知れず敵を破壊するハイブリッド戦争

デマやフェイクニュースとハイブリッド戦争

前章で見てきたとおり、現代の戦争は実体領域で弾を撃ち合う古い戦争とは異なる。デジタル領域におけるサイバー攻撃や認知領域における影響力工作といった目に見えない手段が使われる。武力行使はない。しかし、武力が行使されなくても、これは立派な戦争だ。

別の見方をすると、新しい戦争とは極めて非対称な戦いでもある。例えば、権威主義国家の支援を受けたハッカー集団は相手国の企業や個人に突如として襲い掛かる。血は一滴も流れないが、重要な軍事技術が流出したり、重要人物の個人情報が漏洩してそれが後に工作活動に使われたりする。

古い戦争が宣戦布告によって時間を区切られ、陸海空という物理的な空間によって場所を区切られていたのとは対照的に、新しい戦争はいつでも、どこでも、それが目に見えなくても進行するのだ。しかも、戦闘の当事者はそれは国家vs一企業、国家vs一国民といった古い戦争では考えられなかった非対称的な組み合わせだ。

このような新しい戦争のことを、ハイブリッド戦争（中国では超限戦）と呼ぶ。今それらを仕掛けているのは、主にロシア、中国、北朝鮮、イランなどの権威主義国家だ。繰り返すが、ハイブリッド戦争において、鉄砲の弾やミサイルが飛んでくることはほとんどない。飛んできたとしてもそれは威嚇のためであって、本気で都市を全滅させるようなものではない。

戦車や軍艦なども示威行為のために持ち出されるが、その火力で相手を撃破することもない。宣戦布告もなければ、戦場すらも目に見えにくいので、一見すると平和にしか見えない。しかし、これはハイブリッド戦争という立派な戦争なのだ。

前章で取り扱ったデマや偽情報は、このハイブリッド戦争という新しい戦争を遂行するための手段である。注意しなければならないのは、プロパガンダはあくまでもハイブリッド戦争を遂行するための主要な手段ではあるが、それだけがすべてではない点だ。

ハイブリッド戦争は変幻自在だ。それは時として軍事的な手段を伴う場合もあるし、一見すると国内の過激派のテロのように見える場合もある。もちろん、サイバー攻撃を伴うこともしばしばある。ハイブリッド戦争において、デマやフェイクニュース以外の手段が使われないという保証はない。要するに、なんでもアリなのだ。とはいえ、軍事的手段は稀にしか使われないし、使われたとしても極めて抑制的だ。その理由については後述する。

本章では、ハイブリッド戦争の全体像について、まずは、その誕生の歴史を振り返り、ハイブリッド戦争の基本的な「設計思想」について説明する。そして、後年その概念がどのように拡張され運用されるに至ったのか、ケーススタディを交えながら解説したい。

ロシア人天才戦略家・メッスネルが生み出した理論

そもそも、ハイブリッド戦争の理論は戦前からその萌芽があり、第二次大戦直後にはすでにこの世に存在していた。それはロシアで初めて生まれた。正確にいうと、アルゼンチンに逃亡したあるロシア人天才戦略家が1人で生み出したものだ。

私は前著『れいわ民間防衛』（飛鳥新社）において、ロシアのハイブリッド戦争は中国の超限戦のロシア版だという解説をしたが、これは正確でない。この場を借りて訂正したい。ハイブリッド戦争には独自の出自があり、1999年の人民解放軍の2人の大佐が記した「超限戦」論文の遥か前から存在していたのだ。

ハイブリッド戦争の生みの親はエフゲニー・メッスネルという男だ。帝政ロシア時代にロシアで生まれたメッスネルはドイツ系ロシア人で、ロシア革命に反対するゴリゴリの反共主義者だった。もともと軍人だったメッスネルは第一次大戦の前線で戦っていたが、ロシア革命が起ったことで即座に白軍に身を投じる。そして、反革命勢力の軍隊に参加して、1920年代の内戦において共産党の赤軍と戦い続けた。しかし、白軍が敗北したために、メッスネルはセルビアに逃亡する。

知っての通りセルビアは、旧ユーゴスラビアの中で一番ロシア人に近いスラブ系民族の国である。メッスネルはそこを拠点にして、ソ連の共産主義に抵抗するパルチザンを組織、訓練した。しかし、残念ながらこれは上手くいかなかった。

メッスネルは行き詰まるかに見えたが、タイミングの良いことに、同じ反共思想のナチスが東欧地域に台頭してきた。そこで、メッスネルはナチスに協力してソ連への反撃を試みた。しかし、当初ソ連を追い詰めたナチスも、英米とソ連に包囲され、最終的に敗北してしまう。またしてもメッスネルは挫折する。

ところが、メッスネルはあきらめない。今度は、南米アルゼンチンに逃亡し再起を期した。当時、アルゼンチンにはナチスの残党が多数逃げていたという事情もあったらしい。

そして、ここからがハイブリッド戦争誕生秘話だ。メッスネルはアルゼンチンからロシア語で発信を始めた。その内容は如何にして共産主義体制を倒すか。軍事力もない、十分な武器も、大勢の仲間もいないメッスネルだったが、秘策があった。それは、非軍事的な手段、それこそありとあらゆる手段を使ってソ連共産党の威信を失墜させることだ。

鉄壁の共産主義も国家に対する信頼が失われれば崩壊する。メッスネルはそう予言した。いや、そう信じて、アルゼンチンからその方法論をロシア語で発信し続けたのである。そして、この方法論こそが、現代のハイブリッド戦争の理論そのものなのである。

メッスネルの主張の核心は「国家、革命、軍隊といったものは、すべて心理的現象である」ということにある。国家のために命を捧げても良いとか、軍隊の命令を聞かなければいけないというのは、すべて心理現象なのだとメッスネルは見抜いた。だから、その心理現象を成立させている心、モラルを破壊すれば、国家、革命、軍隊そのものを破壊できる。

ソ連共産党体制は一見強固に見えても、それは単なる心理現象であり、無敵ではないのだ。メッスネルはそう喝破し、ソ連国内の反体制派に向けてハイブリッド戦争のノウハウを発信し続けた。

1991年のソ連崩壊を知る我々から見れば、メッスネルのこの主張は正しかったことが分かる。西側に放たれたソ連のスパイは自由で豊かな西側世界に触れ、逆にその情報をソ連に持ち帰って拡散してしまった。共産主義は資本主義よりも優れているはずなのになぜ現実がかくも違うのか？　当時のソ連の人々の疑問は膨らむ一方となる。同盟国だった東欧諸国の国民も同様にその疑問を抱いていた。

そして、1989年のベルリンの壁崩壊に代表される東欧革命が起こった。同盟国の離反、共産主義の放棄はソ連共産党の指導の限界を感じさせるものだった。さらに、このタイミングで原油安によりソ連経済は著しく停滞する。これでソ連共産党の威信は完全に失墜し、ゴルバチョフの奮闘もむなしく、ソ連が崩壊する。

もう一つ、メッスネルの先見性を示すエビデンスを示そう。メッスネルから遅れること三十余年、西側のハイブリッド戦争論は生まれた。そのきっかけはアメリカの海兵隊がベトナムでボロ負けしたり、イラクで民兵相手に大苦戦したりする実戦経験だった。

「我々はこんなに強いのに、なんでこんなにだらしない民兵勢力に勝てないんだ？」、「何かその戦闘力とは違う要素、戦い方があるのではないか？」という問題意識が米海兵隊内部で生まれ、1980年代にはウィリアム・リントという海兵隊の軍人を中心とする研究グループが第4世代戦争論を発表する。あるいはホフマンという海兵隊の軍人がハイブリッド・ウォーフェアという言葉を初めて使ったりしている。

メッスネルとは反対に、こちらが軍事的に優勢で、敵はそもそも国家でさえないような軍事的に劣勢な相手という枠組みだが、ここでアメリカ海兵隊は「心理や情報によって人びとの認知の枠組みを作り変えることの重要性」に気づいた。

メッスネルが天才である理由は、この理論を1人で作り上げたことにある。アメリカ軍が組織をあげて取り組んだ研究の成果は、結局メッスネルが1人で考えた理論とほとんど内容が同じだった。巨大な組織が何年もかけて研究した結果と同じものを、亡命先のアルゼンチンで、たった1人で仕上げたメッスネルはまさに天才だったのである。

東欧革命もソ連崩壊も西側諸国が仕掛けたハイブリッド戦争

しかし、ここで疑問に思った人もいるだろう。メッスネルは反共主義者で、ソ連を倒すための理論を発信していたのに、なぜこの理論をソ連軍の後継組織であるロシア軍が採用したのか?

メッスネルが発信したものは、旧ソ連時代においは当然禁書であり、誰も読むことができなかった。しかし、ロシアには何でも記録するアーカイブの伝統がある。ロシア問題に詳しい東京大学先端科学技術研究センター特任助教の小泉悠氏曰く、「ロシアというかソ連ってやはりヨーロッパ人だなと思うのは、見せるかどうかは別として記録は残すんです。ロシア人は公開するかどうかは別として、全部一応記録するんですよ」とのこと。

旧ソ連の図書館にはスペッツフラン（特別書庫）というものがあった。そこは禁書だけが置かれているアーカイブだ。禁書だったメッスネルの本はすべてここに残されていた。旧ソ連時代には、非常に厳しいクリアランスを与えられた人だけがメッスネルの本を読むことができた。もちろん、一般の軍人や政府職員には、このクリアランスは与えられることはない。読めるのは本当にごく一部、反共思想を研究する特殊な任務に就いている人だけだった。

ところが、1991年にソ連が崩壊し、スペッツフランが解禁される。厳しいクリアランスがなくなり、ロシアの軍人たちがメッスネルの本を読めるようになったのだ。そこでメッスネルは文字通り再発見された。そしてそれは大発見でもあった。

おそらくこの時、ロシアの軍人たちはこう思ったことだろう。「東欧革命もソ連崩壊も西側諸国が仕掛けたハイブリッド戦争だったのか！」と。実際に2013年にロシア軍の制服組のトップであるゲラシモフ参謀総長は、アラブの春のような民主化運動もある種の戦争であるとして、ウクライナのカラー革命のような民主化運動も、西側諸国がロシアに対して仕掛けたものだという認識を示した。いわゆる「ゲラシモフ・ドクトリン」で知られる、ロシアのハイブリッド戦争に関する基本認識である。そして、ゲラシモフ参謀総長はこのような認識に立ち、ロシアは被害者として、攻撃者と同様の手段を使い反撃する権利があると主張した。前出の小泉氏は次のように解説する。

ゲラシモフ参謀総長は、21世紀における戦争は国民国家体制の下で築かれてきた古典的な戦争の形式および手順に当てはまらないものとなりつつあり、「非軍事的手段」が主となりつつあるとのテーゼを掲げる。ゲラシモフ参謀総長によれば、このような「非軍事的手段」とは、政治、経済、情報、人道、その他の幅広いものであり、これらが「住民の抗議ポテンシャル」に応じて適用される。一方、非公然の情報敵対活動および特殊作戦部隊の活動を含む国家の正規軍は、こうした「非軍事的手段」を補完する目的で使用される。また、公然と軍事力を使用する場合には、平和維持活動および危機管理という形態を装う場合があるし、在来型戦闘においては単一のネットワーク化されたハイテク・高機動戦力を駆使する。

そして、これら正規・非正規の手段を組み合わせることによって、敵国内部には「継続的に機能する戦線」が出現する、という。

(http://www2.jiia.or.jp/kokusaimondai_archive/2010/2017-01_005.pdf?noprint)

話をソ連崩壊直後に戻そう。20年後には参謀総長までもがハイブリッド戦争の概念を当たり前のように語るほど、当時からロシア軍はメッスネルの再発見に沸いた。それはメッスネルの一大ブームが到来したことを意味した。

1990年代から2000年代の頭にかけて、ロシア国防省の出版社はメッスネルの本を次々と再版した。当時のロシア軍参謀本部アカデミーの戦略家たちがメッスネルの本を読み、ロシアのハイブリッド戦争の1つの原型を作ったのだ。その時、メッスネルを学んだ軍人の1人が、ゲラシモフ参謀総長その人である。そして、彼はメッスネルのハイブリッド戦争の理論を、ロシアを「防衛」するために周辺諸国に対して使い始めたのだった。

ウクライナを代表するハイブリッド戦争の戦略家にホルブーリンという人物がいる。彼はもともとロケット技術者だったが、ソ連が崩壊してから政治家になり、国家安全保障会議書記まで上り詰めた大物だ。そして、ロシアのハイブリッド戦争に対応していた当事者でもある。彼は『世界ハイブリッド戦争：最前線のウクライナ（英題：The World Hybrid War: Ukrainian Forefront）』という書籍の中でロシアのハイブリッド戦争を次のように概括している。

ロシアは現在の世界秩序の中で世界の超大国としての地位を獲得する可能性がない。そこで、ロシアは現在の国際関係のシステムを破壊することを考えた。ＮＡＴＯの分裂や、国際法システムを役に立たずで機能不全な状態に陥れた上で、欧州を崩壊させることが期待されたのだ。結果として、欧州には混沌とした状態が続くことになった。

ロシア連邦当局は、欧州のいわゆるＥＵ懐疑派を財政的、組織的、情報的に支援する方針を打ち出した。これには、ＥＵ諸国の多数の極右および一部の左派政党が含まれる。

フランスでは、「国民戦線」（現・国民連合）がロシアから資金援助を受けていることが知られており、プーチンの欧州政策を共有している。ドイツにおいて、対ロシア制裁解除を主張しているのは、主に極右のポピュリストでEU懐疑主義の傾向を持つ政党「ドイツのための選択肢」だ。この政党をプーチン政権が実は直接支援している、と確信するアナリストもいる。ハンガリーでは、民族主義的な極右政党「ヨッビク（より良いハンガリーのための運動）」があり、党首のB・コヴァは欧州議会議員時代にロシアのスパイ容疑で告発され、欧州議会の決定で免責されたことがある。イタリアでは「レガ・ノルド（北部同盟）」という政党がある。

多くの専門家によると、ヨーロッパが近年直面している主な問題（移民危機、テロ、そしてBrexit）は、ロシアの反EU活動の広がりに起因しているという。また、ロシアの影響力は、最近他のヨーロッパ諸国でも拡大していて、ギリシャ、スロバキア、ハンガリー、キプロス、イタリア、セルビア、ブルガリア、フランスの政界に親ロシア派の意見を代弁する勢力があると専門家や政治アナリストたちは指摘している。

特にフランスでは、2016年に両議会がEUの対露制裁解除を求める内容の決議を採択したことが特徴的だ。下院での決議の発起人は、フランスの元運輸大臣で、ニコラ・サルコジ政権の「共和党」の代表であるティエリー・マリアーニ氏である。マリアーニ氏は、「仏露対話協会」の代表の一人であり、2015年7月にクリミアを訪問したスキャンダラスな人物として知られている。

（出典：The World Hybrid War: Ukrainian Forefront: monograph abridged and translated from Ukrainian / Volodymyr Horbulin. ― Kharkiv: Folio, 2017）

「対中非難決議」が流れたウラの話

似たような工作は日本にも行われていないだろうか？　例えば、2021年6月16日、日本の国会が閉会し、超党派で準備していた対中非難決議は可決されることなくお流れになるという事件があった。その経緯について、産経新聞は次のように報じている。

16日に閉会した通常国会で、自民、公明両党の足踏みで新疆《しんきょう》ウイグル、内モンゴル両自治区などでの中国当局による人権侵害行為の即時停止を求める国会決議案の採択が見送られた。国会最終盤には野党が決議案を了承し、自民の党内手続きも整う兆しがあった。しかし、秋までに行われる衆院選や7月の都議選を控え、「公明を孤立させるのは得策ではない」という自民の配慮が見え隠れした。

14日午後、自民本部4階の幹事長室に二階俊博幹事長や下村博文政調会長らが集まった。下村氏は決議案をめぐり、外交部会などに加えて党の正式な了承を得ようと、13日に閉幕した先進7か国首脳会議（G7サミット）でウイグル自治区での人権問題が議論されたことなどを説明。神妙に耳を傾けていた二階氏は納得した様子で「了承」の用紙にサインをしかけた。ところが、同席した側近が声を上げた。

「待ってください」

そう言って二階氏を制止し、都議選に向けて自公の良好な関係を維持する必要性を説き始めた。自民が決議案を了承すれば、党内手続きが進んでいない公明の孤立が浮き彫りになる可能性があった。二階氏側近の「待った」には、友党の苦境を救いたいという配慮が透ける。

国会決議に関する自民の手続きは幹事長ら党幹部の承認が必要となる。二階氏が承認すれば、他の幹部も認める公算が大きかっただけに、採択推進派は「二階氏がサインさえすれば…」と悔やむ。

立憲民主党や日本維新の会、国民民主党が了承手続きを粛々と終える中、伝統的に中国共産党と良好な関係にある公明は、採択に前向きとの印象を残さなかった。

公明幹部は「自民が最後まで慎重だった。自民が正式に決めて、話を投げてきてくれたら議論はした」と反論するが、綱領で政治の使命について「人権の保障と拡大」を掲げる党にしては待ちの姿勢が際立っていた。

(https://www.sankei.com/article/20210620-D44WJ2DFPNMBXJZ2423IZZSMEA/?402814&KAKINMODAL=1)

記事中にある「同席した側近」とは、幹事長代理の林幹雄氏だと言われている。私が関係者に取材したところでは、林氏は公明党からの依頼で二階氏を制止したそうだ。公明党の中に中国と特別な利害関係のある者がいるのだろうか。

ちなみに、制止された自民党の二階幹事長は7月1日の中国共産党の創建100年を祝う式典にメッセージを送った。この他にも、公明党の山口那津男代表、立憲民主党の枝野幸男代表、小沢一郎衆議院議員、社民党の福島瑞穂党首も電報などで祝賀のメッセージを伝えている。

この式典において国家主席の習近平は欧米を敵視しそれに対抗していくことを宣言し、さらに台湾統一についてもコミットしている。日本の政治家はこの強硬路線を認めるつもりなのだろうか。

ロシアが欧州に対して仕掛けているハイブリッド戦争を、中国は日本を相手にやっていると考えれば分かりやすい。欧州で極右政党や親露派の政治家が演じた同じ役割を、日本では別の党と政治家が演じているようだが。なお、日本を舞台に繰り広げられる中国のハイブリッド戦争については、章を改めて詳しく述べることにしたい。話を先に進めよう。

ハイブリッド戦争でウクライナと戦うロシア

ハイブリッド戦争は時として軍事的な手段を伴う場合がある。メッスネルが考えた古典的なハイブリッド戦争と現代のハイブリッド戦争の違いはここにある。国際政治学者の志田淳二郎氏は現代のハイブリッド戦争を次のように定義する。

宣戦布告がなされる戦争の敷居よりも低い状態で、特定の目標を達成するために、国家または非国家主体が、調整のとれた状態で、通常戦力あるいは核戦力に支援されたうえで行なう強制・破壊・秘密・拒絶活動

（『ハイブリッド戦争の時代』志田淳二郎、並木書房　P53）

この定義は少し難しいので丁寧に読み解いてみよう。まず、冒頭の「宣戦布告がなされる戦争の敷居よりも低い状態」とは、要するに平時を指している。ある日突然、日常生活の延長でハイブリッド戦争は発生する。それを仕掛けるのは「国家または非国家主体」である。得体のしれないハッカー集団や武装組織、愛国政党からフーリガンまでありとあらゆる主体が含まれる。

しかし、彼らは自然発生的に怒りの感情を爆発させる愚か者ではない。彼らは「特定の目標を達成するために」「調整のとれた状態で」事を起こす。そして、その行動は「通常戦力あるいは核戦力に支援」されている。つまり、彼らの強制・破壊・秘密・拒絶活動を止めようと介入すればそれを支援する国が「通常戦力あるいは核戦力」をバックに恫喝してくるということだ。

志田氏の定義に見事に当てはまる事例をご紹介しよう。２０２1年4月14日から、ロシア軍はウクライナ国境付近で近年稀にみる大規模な軍事演習を実施した。ウクライナ軍の発表によれば、動員されたロシア側の兵力は56個大隊戦術グループ、兵員は11万人だった。ロシア陸軍には全部で150の大隊戦術グループ、約30万人の兵員が存在する。これと比較すれば、動員された兵力は全体の3分の1に当たり、それがいかに巨大だったか分かるだろう。ちなみに、ウクライナ軍にはカウントされていない航空兵力も動員されていた。

「すわ戦争か?」と全世界の注目が集まる中、事態が動いた。4月22日、ロシアのショイグ国防大臣がクリミアに入り、大演習の視察を行ったのだ。そして、同日、全部隊に対して5月1日を期限とする撤退命令を出した。

ロシアの大演習は「通常戦力あるいは核戦力」によってウクライナ国内の親露派勢力を支援する、もしくは支援しているというメッセージを伝えることだ。そして、この親露派勢力こそ、ウクライナに対するハイブリッド戦争を遂行する非国家的主体である。

朝日新聞のような古い考えを持った人なら、ロシア軍がウクライナ国境を越えて侵攻しなかったことをもって、戦争は回避され平和が保たれたと思うだろう。それは極めて愚かな考え方だ。ロシアのこの行動そのものがハイブリッド戦争という戦争行為なのだ。「実体領域で弾の撃ち合いがない限り平和」という古い戦争の定義は今すぐ捨てた方がいい。

ロシアの立場に立てば、この大演習を使った「攻撃」はあくまでもウクライナの親露派弾圧に対する「反撃」である。

２０１９年4月、コメディー俳優で新人のボロディミル・ゼレンスキー氏が大統領選挙でペトロ・ポロシェンコ大統領に大差を付け当選すると、徹底した親露派狩りが始まった。一番のターゲットになったのは、大富豪で親露派の野党第一党「野党プラットフォーム」の党首、ビクトル・メドベチュク氏だ。メドベチュク氏は、娘の洗礼にプーチン大統領が駆けつけるほどのズブズブの親露派である。そもそも、彼が大富豪である理由はロシアからウクライナを経由して東ヨーロッパにつながる石油パイプラインの利権を持っていることにあるからだ。

しかし、このパイプラインは表向きいくつも関連会社が所有していて、真の所有者が誰か分からないように隠蔽されている。もちろん、ウクライナではメドベチュクが真の所有者だということは公然の秘密だった。

ゼレンスキー政権はパイプラインの利権をメドベチュクから取り上げようとして、徹底的に虐めぬいた。大義名分としては、このパイプラインから上がる利益がウクライナ東部の紛争地域にいる親露派武装勢力に流れているというものだ。おそらく、これは本当だろう。

そもそも、本当の所有者が表向き誰だか分からないということ自体、企業のコンプライアンス上由々しき問題であり、当局の介入を招いても仕方ない部分もある。その弱みを突いて、ウクライナ政府はこのパイプラインに差し押さえの命令を出した（2021年の5月時点で差し押さえそのものはまだ実行されていない）。

ちなみに、メドベチュクはテレビ局を3つ所有しているが、どの局も親露派のプロパガンダを垂れ流していた。そこで、ゼレンスキーは3局とも放送免許を剥奪する。徹底した弾圧だ。

しかし、これはロシアからしてみると面白くない。ハイブリッド戦争を遂行する重要なパートナーであるメドベチュクを、ゼレンスキー政権がいよいよ本気で潰しに来たように見えたわけだ。ゼレンスキー政権の一連の親露派狩りは、ロシアにとっては「攻撃」以外の何物でもない。ロシアからすれば先に殴ってきたのはゼレンスキーだということだろう。

とはいえ、ウクライナ側がカウンターで行った親露派狩りというのは、2014年のクリミア侵攻以降のロシアのハイブリッド戦争に対する反撃を意図していた。これはウクライナによるハイブリッド戦争返しともいえる。ウクライナにしてみれば2014年クリミア併合こそが、ロシアによって最初になされた「攻撃」であり、これに対する「反撃」としての親露派弾圧だからである。

クリミア併合はハイブリッド戦争の成功事例

ではウクライナは軍事大国のロシアを相手にいかなる国の「通常戦力あるいは核戦力に支援されたうえで」このハイブリッド戦争返しを行ったのか？　ウクライナはＮＡＴＯには加盟していない。しかし、ウクライナが頼ったのはアメリカおよびＮＡＴＯの軍事力だ。この点について解説しておこう。

トランプ政権は、２０１７年の国家安全保障戦略や２０１８年の国防戦略において、ロシアを抑止対象とし厳しい対抗策、制裁措置を講じていた。特に、２０１７年の制裁措置においては、ロシアのエネルギー企業との取引が厳しく規制されただけでなく、ロシアの武器を買う第3国までもが原則的に制裁の対象になった。

この措置によって最初に制裁されたのは、ロシアからミサイルと戦闘機を買った中国だ。そして、その次に制裁されたのはＳ４００という防空システムをロシアから購入したトルコ。そして、3番目に制裁認定されたのはインドである。対インド制裁はまだ発動していないが、トルコと同様にS400という防空システムを購入したことが原因だった。

兵器産業は数少ないロシアの外貨獲得手段の1つであり、これを妨害されることはロシアにとってはとても痛い。ところが、この時これら一連の措置がロシアに「攻撃」だと認定されることはなかった。なぜなら、トランプ氏はロシア国内人権問題にはあまり関心がなく、野党指導者のナワリヌイ氏についても今のように特段問題視していなかったからである。また、クリミア併合についても、トランプ政権は最後まで明確な非難をしなかった。


ロシアにとって非常にデリケートな問題はクリミア問題である。ロシアは2014年にクリミア半島に侵攻し、軍事的に制圧して自国領に編入したのは国際法違反の「前科」がある。実はあの戦争も19世紀的な意味でのクリミア戦争とは全く異なり、戦闘らしい戦闘はほとんどなかった。

主な攻撃はサイバー攻撃とデマと偽情報の拡散、さらに謎の武装組織「リトル・グリーン・メン」の電撃的な展開と重要拠点の無血占領である。ほとんど血が流れなかったという点もまさにハイブリッド戦争の特徴をよく表している。

そして、これは世界中からハイブリッド戦争の成功事例だとみなされている。ウクライナはそもそもNATOに加盟していないため、クリミア併合はNATOが力ずくで対応しないギリギリのラインを突いた絶妙な作戦だった。

しかし、領土を奪われた側のウクライナはこの恨みを忘れてはいない。トランプ政権末期の2020年9月、ゼレンスキー大統領が国連総会の場でクリミア・プラットフォームという構想をぶち上げた。これは戦争でクリミアを奪還できないウクライナが、外交交渉によって取り戻すための枠組みだ。

ロシアによるクリミア併合は国際法的に違法であり、国際的な監視の下で最終的にこれを返還させる。この構想をぶち上げることでクリミア併合の違法性を忘れさせないようにしつつ、いずれ首脳会議を開いてクリミア問題を強く訴えるのがゼレンスキー大統領の作戦だった。

ところが、トランプ政権はクリミア・プラットフォームに乗らなかった。当初は完全にスルーした。政権の終わる最後の最後でポンペオ国務長官（当時）は「歓迎する」と言ったが、大統領のトランプ氏自身はノータッチだったのだ。

ロシアにしてみると、トランプ政権は個別領域では厳しいことをするが、それを統括しているトランプ氏自身は非常にやりやすい相手だったということになる。各論では対立しても総論ではおおむね関係は良好だったということだ。

米露の対決は決着がつかないまま次のステージへ

しかし、後任のバイデン大統領は様子が違った。もともと、ロシアはバイデン氏がオバマ時代の副大統領であり、トランプ氏とは違い人権の話にもうるさいに決まっていると予想していたようだ。

ところが、ロシアがクリミアに介入してから7周年の2021年2月の25日にバイデン政権から出てきた一連の声明はロシアの予想をはるかに超えていた。バイデン政権はクリミアの占領を絶対認めないし、ウクライナの領土的一体性を支援すると言う。しかも、前政権ではスルーしていた憎きクリミア・プラットフォームをアメリカは歓迎すると言い切った。明らかに、トランプ政権の時よりも大幅に踏み込んだウクライナ支援の姿勢を打ち出してきている。

バイデン政権がクリミア・プラットフォームにコミットしたことによって、アメリカ国防総省はウクライナの軍事支援予算1億2500万ドルを獲得した。これもロシアが当初予想していたよりかなり強硬な姿勢であった。

大統領に就任したばかりなのにそこまでやるか、ロシアをそこまで敵視するのか、とプーチンは思ったに違いない。そして、これが「攻撃」と見なされたのだ。だから、ロシアは大演習でアメリカにメッセージを送った。それは「ウクライナ問題であまり好き勝手やらないほうがいいですよ、こちらにも覚悟がありますよ」というものである。

しかし、これに対してウクライナも負けてはいない。ロシア軍が撤退した後の5月11日、ウクライナ検察は親露派大富豪のメドベチュク氏に対し、国家反逆容疑で本格捜査を行っていると発表したのだ。しかも、時を同じくして実はNATOの大軍事演習ディフェンダー・ヨーロッパ2021が開催されている。これは以前から企画されていたものであり、ロシアの大演習に対する対抗策ではない。アメリカ陸軍のプレスリリースによれば演習の流れは以下のようになっている。

3月　米国の装備と人員がヨーロッパへの移動を開始。

4月　ドイツ、イタリア、オランダの拠点から陸軍の備蓄品を集積し、護送船団、鉄道、ラインホール、バージを経由して各訓練地域に移動。

5月　12か国の30以上の訓練場で演習開始

即時対応が演習のテーマとなっており、11か国の5000人以上の部隊が31の訓練場に分散し以下のような訓練が実施された。

- スウィフト・レスポンス：エストニア、ブルガリア、ルーマニアでの空挺作戦を含み、11か国から7000人以上の兵士が参加する。
- アフリカン・ライオン：約5000人の軍人が医療態勢の訓練、大規模な実弾演習、航空・海上・前方指揮所訓練を行う。
- ステッドファースト・ディフェンダー：大西洋を越えた欧州の強化に焦点を当てたNATOの新シリーズの演習。あらゆる脅威に迅速に対応するNATOの能力を示す。

（出典：DEFENDER-Europe 21 Fact Sheet〈https://www.europeafrica.army.mil/Portals/19/documents/DEFENDEREurope/DE21%20Factsheet.pdf?ver=Lfkvd8zMhx3xuJhiNk-l8Q%3D%3D〉）

まさにNATO軍による通常兵器と核兵器による支援の下、ウクライナ政府は検察を動かしてさらに厳しい親露派狩りを進めたわけだ。そして、これはアメリカのヨーロッパに対するコミットメント強化を誇示する非常に政治的な意味も強い。

ロシアもこの演習の開催はあらかじめ分かっていたはずで、4月の大演習もこれに対抗する意味が込められていた可能性はある。ちなみに、NATO軍の動員をあざ笑うかのように、ロシアは6月には太平洋において海軍の大演習を実施している。

このようなハイブリッドな「攻撃」の応酬が続く中、開催されたのが6月16日の米露首脳会談なのだ。果たして、双方の「攻撃」は相手にダメージを与えられたのか？　ロイターは次のように伝えている。

バイデン米大統領とロシアのプーチン大統領は16日、ジュネーブで会談し、サイバーセキュリティや核軍縮に関して2国間対話を開始することで合意した。一方、人権問題やウクライナ情勢については、溝が浮き彫りになった。（中略）

両国は会談後に共同声明を発表し、将来の軍縮やリスク軽減措置などを協議する2国間の戦略的安定対話を開始することでも合意したと明らかにした。
共同声明は「新戦略兵器削減条約（新ＳＴＡＲＴ）を最近延長したことは、核兵器の管理に尽力していくわれわれの姿勢を示す一例だ。われわれはきょう、核戦争に勝者はなく、核戦争を始めてはいけないという原則を再確認した」としている。
その上で、米国とロシアは将来の軍備管理とリスク軽減に向けた基盤を築くため、戦略的安定対話に着手するとした。

（https://jp.reuters.com/article/usa-russia-summit-idJPKCN2DS1UT）

戦いはハッキリとした決着がつかないまま次のステージへ移った。とはいえ、核戦争へのエスカレーションは遠のいたかもしれない。ウクライナ問題は進展しなかったが、米露が協力できる分野も、ある程度明確になったのは収穫だっただろう。

核兵器が登場したから生まれた戦争

さて、読者諸君はここであることに気づいただろうか？　なぜハイブリッド戦争が現代の戦争の主流になったのか? その理由の一端がまさにこの米露首脳会談に表れている。それは、メッスネルに続くロシアの軍事理論家も、それに対してカウンターで戦いを繰り広げる西側のハイブリッド戦争理論家も、共通して主張していることだ。

彼らは異口同音に「なぜハイブリッド戦争なんて迂遠なことをするのかというと、核兵器が登場したからだ」と主張しているのだ。核兵器が登場して戦争ができなくなったことにより、何か別の闘争手段を考えなければならない。その別の闘争手段がまさにハイブリッド戦争なのだと。

クリミア併合は、あくまでアメリカとロシアの間でがっちり核抑止が成立している状況下での低強度の軍事力行使だった。だから、これ以上は絶対にエスカレートしないことを米露の当局者は分かっていた可能性がある。

一般的な理解として、一度戦争が起これば、戦争の様式ないし規模は段階的に拡大(エスカレーション)する。その階段(エスカレーションラダー)の最高位にあるのは全面核戦争だ。しかし、歴史上全面核戦争は起こっていない。なぜか?

例えば米露のうちどちらか片方が核ミサイルを発射して相手国を全面的に滅ぼしたとしよう。その場合、敵の核ミサイルをすべて破壊できればよいが、実際には潜水艦などに搭載して隠してある核ミサイルをすべて破壊するのは不可能だ。1隻でも生き残った潜水艦があれば、そこから発射されるミサイルによって自国は反撃され、滅びてしまう。つまり、自国が最初の1発を撃てば、必ず反撃されて自国が滅ぶ。結果として、最初の1発は絶対に撃てないことになる。これこそが相互確証破壊（MAD）による核抑止である。

この抑止が成立することによって、より低位のエスカレーションラダーにも影響が及ぶ。例えば、ロシアを通常兵器で攻撃し、国境を大きく越えて進軍したとしよう。通常兵力では太刀打ちできないと悟ったロシアは刺し違える覚悟で核兵器を使ってくるかもしれない。

最初の1発をロシアに撃たれたら、双方が全滅する。ということは、ロシアに核兵器を使わせることを決断させてはいけないし、そもそもそこまで追い込んではいけないことになる。これは相手がロシアではなくNATO加盟国であっても成立するロジックだ。つまり、通常兵器による全面戦争も核戦争へのエスカレーションのリスクがあるので、結果的には抑止されるのだ。

（戦争の）エスカレーションラダーの高位において抑止が機能し、均衡がとれることにより、事態のエスカレートがないという予測が低位のラダーにおける不安定を惹起する、という状況は冷戦期にも見られた。これは「安定―不安定のパラドクス」と呼ばれる状態であり、この概念を提唱したスナイダーは「戦略レベルでの恐怖の均衡が安定すればするほど、そのエスカレーションラダーの下位レベルの安定性は低下する」と述べている。

スナイダーが念頭に置いていたのは米ソ間で相互確証破壊が共通認識となり、核戦略レベルで均衡が見られる一方、朝鮮戦争あるいはその後勃発したベトナム戦争、そしてソ連のアフガニスタン侵攻のような通常戦力による紛争を抑止できない、という状況を示すのであろう。

（出典：海幹校戦略研究――海上自衛隊幹部学校　２０１５年12月〈https://www.mod.go.jp/msdf/navcol/SSG/review/5-2/5-2-2.pdf〉）

非常に古典的な核抑止があるからこそ、低強度なハイブリッド戦争で済んでいる。逆に、核抑止が破れたら、ロシアも中国もハイブリッド戦争をせず、躊躇なく19世紀的な意味での古い戦争を始めるだろう。２０１４年のクリミア侵攻がクリミアだけで済んだのも、ハイブリッド戦争云々という革新的な話ではなく、古典的な核抑止が成立していたというだけの話なのだ。

このように、ハイブリッド戦争によって古典的な戦争は時代遅れになったわけではないし、クラウゼヴィッツの理論が全く役に立たないわけでもない。核戦争へと続くエスカレーションラダーの非常に低い部分にハイブリッド戦争があり、一番高烈度のところに核戦争がある。これらはすべてつながっているのだ。

だから、バイデン政権になって初めての米露首脳会談において、まっさきに核兵器の問題が話題になったのはとても意味深だ。そして、この問題については米露が協力する方向で継続協議となっている。核抑止が継続するなら、ハイブリッド戦争も続く。極めてシンプルな結論だ。

そして、この結論から日本も逃れられない。次章で取り上げる中国の世論戦も東シナ海における低強度の海上グレーゾーン事態もまさにハイブリッド戦争の一形態だ。

しかし、これに対処することにばかり目を奪われてはいけない。まずは、アメリカとの同盟の下で核抑止をしっかり効かせることが大事だし、通常兵力においても中国との戦闘のエスカレーションに付き合う能力を日本が持つことは非常に大切だ。古典的な国防論議こそが、いま注目されているハイブリッド戦争を考える上で、実は一番重要なのだ。

例えば、中国は1970年代に西沙諸島をベトナムからもぎ取ったが、いま尖閣ではそういうことをしていない。主に海上警察（海警）を使ってグレーゾーン事態スレスレの「攻撃」を行っているが、それはつまり日本とアメリカで構築した抑止力がしっかり効いている証である。その部分を抜かして、ハイブリッドばかり語っても意味がない。

ハッカー集団・ダークサイドを支援するロシア

さて、話を米露首脳会談に戻そう。核兵器の問題で米露対話が続くことは確実となった。そして、バイデン大統領は核兵器の問題だけでなく、ロシアのハイブリッド戦争、特にサイバー攻撃についてもロシア側に自制を求めた。

日経新聞によれば、「バイデン氏はエネルギーや水道など16種類の重要インフラを明示して攻撃をやめるよう要求した」[※1]そうだ。アメリカはランサムウエア（身代金要求型ウイルス）を使った石油パイプラインへのサイバー攻撃でロシアがダークサイドというハッカー集団を陰で支援していると見ているからだ。ところが、プーチン氏はロシア政府の関与を否定した。そして、次のようにトボけたそうだ。

この点について協議を始めることで合意した。あらゆる中傷は脇において、専門家のレベルで協議の席に着き、米ロの利益のために作業を始める。ロシアは原則的にその準備ができている。世界で起きているサイバー攻撃で最も多いのは米国からだ。ロシアはトップではない。

（https://www.nikkei.com/article/DGXZQOGR16F4K0W1A610C2000000/）

ロシアはこの先もサイバー攻撃をやる気満々だと考えていいだろう。しかし、この回答をすでに予想していたのか、アメリカは5月にダークサイドに対してカウンターのサイバー攻撃で激烈に反撃していた。米露首脳会談の10日前に司法省からその顛末の一部が発表され、ウォール・ストリート・ジャーナルが次のように報じている。

カリフォルニア州北部地区連邦地方裁判所に提出された記録によると、コロニアル・パイプラインは5月8日にハッカーに支払った際のビットコインアドレスを捜査官に提供し、捜査官が追跡を開始した。ハッカーは翌日までに少なくとも6つのアドレスを経由して資金を移動させた。

ダークサイドは5月13日、サーバーなどのインフラが差し押さえられたとハッカー仲間に伝えたが、その場所や方法については明らかにしなかった。裁判所の記録によると、コロニアルの身代金にさかのぼることができる63・7ビットコインを含む資金が5月27日に最終アドレスに到着した。FBIは7日、その63・7ビットコインを押収したと発表した。

FBIは7日の令状請求で、捜査官がそのアドレスの秘密鍵を手にしていると述べていた。当局者はどのように情報を入手したのか詳細は語っておらず、広報官もそれ以上はコメントしていない。（中略）

FBI関係者はコロニアルの資金を一部回収するのに用いた技術について、ハッカーが敵対的な外国の管轄区を経由して暗号資産を送金しようとした場合など、今後のケースにも適用できるとしている。

FBIサンフランシスコ支局のチャン氏は「国外であっても、この技術にとっては問題にならない」と語った。

(https://jp.wsj.com/articles/how-the-fbi-got-colonial-pipelines-ransom-money-back-11623464627)

これが戦争でないとしたら一体何なのだろう? 核兵器によって高度に抑止された状態は続く。それはつまり、ハイブリッド戦争の継続も意味する。ウクライナの親露派狩りは続くだろうし、ロシアによるNATOやEUに楔を打ち、信頼関係を崩壊させる親露派支援も続くだろう。

「難視聴系ハイブリッド戦争」の究極形態

ロシアのクリミア侵攻のような軍事的な手段を伴うハイブリッド戦争はニュースにもなるしある程度は可視化できる点で分かりやすい事例だった。しかし、ハイブリッド戦争はむしろ可視化することが困難な事例の方が多い。敢えてそれを「難視聴系ハイブリッド戦争」と名付ける。国際政治学者の志田淳二郎氏の著作『ハイブリッド戦争の時代』(並木書房)より、その難視聴系ハイブリッド戦争の究極形態ともいえるケースを紹介したい。

ウクライナ西部のハンガリーと国境を接するザカルパッチャ州は過去900年にわたってハンガリー王国に組み込まれていた時期があった。そのため、いまでも10万人以上のハンガリー系住民が暮らしている。ロシアはこの火種を利用し、ウクライナとハンガリーの関係を徹底的に悪化させ、ハンガリーによってウクライナのNATO加盟を潰そうとした。志田氏の著作から時系列を追ってその要点をまとめると以下のようになる。

2014年2月　ロシア軍クリミア侵攻、翌月クリミア併合。
2014年7月　ハンガリーのオルバン首相が「非リベラル民主主義」を提唱。ザカルパッチャ州の住民にはハンガリーとウクライナの二重国籍が認められるべきだとたびたび発言。
2017年9月　ウクライナ議会が新しい教育法を採択し、中等教育以降の教育現場で使用する言語がウクライナ語に統一される。
2017年11月　ブダペストの中央ヨーロッパ大学での公開イベントでザカルパッチャ州問題が討議され、両国政府関係者がお互いに履いている靴で机を叩きながら非難の応酬。

2018年2月　ザカルパッチャ州のトランスカルパチア・ハンガリー文化協会（KMKS）が何者かに襲撃される事件が2度発生。1度目はKMKSの建物に火炎瓶、2度目は同建物に爆発物が設置され1階部分が焼失した。

2018年4月　ザカルパッチャ州のバシル・ブレンゾビッチKMKS会長が渡米し、トランプ政権高官にウクライナにおける反ハンガリー感情の高まりについて苦言。

2018年5月　オルバン首相の外交顧問イエノ・メジェシ氏が渡米し、ボルトン補佐官と会談。NATO規則に謳われている少数民族保護の観点からKMKS襲撃事件の問題点を指摘。

2018年9月　ザカルパッチャ州のハンガリー総領事館が当地のハンガリー系住民にハンガリーのパスポートを発行し、それをウクライナ政府に報告しないよう画策していたことが判明（パスポート・スキャンダル）。この件で、ウクライナ政府はハンガリー政府への非難を開始。

2018年10月　パスポート・スキャンダルを引き起こしたとしてハンガリーのエルノ・ケシュケン総領事がウクライナ政府から国外退去処分を言い渡される。ハンガリー政府も、ブダペスト駐在のウクライナ大使館に勤務する領事1人を国外退去処分とすることで報復。ハンガリーはウクライナの新しい教育法が撤回されない限り、ウクライナのNATO加盟を支持しないと表明。NATOの最高意思決定機関である北大西洋理事会は全会一致が原則なので、これでウクライナのNATO加盟の道は絶たれた。

2019年1月　ポーランドとドイツの司法当局は最初のKMKS襲撃事件の犯人はドイツ人ジャーナリスト、マヌエル・オクセンライターと彼に雇われた3人のポーランド人だったと発表。オクセンライターはドイツの極右雑誌の編集長で、右派政党AfD（ドイツのための選択肢）所属議員の事務所スタッフも兼職していた。

2016年から2017年にかけて、インターネット上で、プーチン大統領の補佐官スルコフに関係する大量のメールが公開された。これを手がけたのは、ウクライナの愛国主義ハッカー集団「サイバー・アライアンス」だった。

ハッキングを受け、インターネット上で公開された関連文書は「スルコフ・リークス」と呼ばれ、これには「ウクライナ政情不安定化・議会解放占拠計画」――通称「シヤトゥン計画」――と「ザカルパッチャ連邦化計画」が含まれていた。
「スルコフ・リークス」には、ザカルパッチャ州に居住するルシン人、ハンガリー人、ルーマニア人の分離運動・自治権獲得運動を創出し、ウクライナで少数民族に対するジェノサイドが起こっているという偽情報を国際会議やメディアを通して拡散し、ハンガリーの右翼政党やルーマニアの政治家を焚きつけて同胞保護を名目に、両国をザカルパッチャ問題に介入させるというシナリオが描かれていた。

（出典：『ハイブリッド戦争の時代』志田淳二郎、並木書房　P123）

ウクライナ民族主義者の犯行に偽装したドイツ人ジャーナリスト

直接の引き金になった1回目のKMKS襲撃事件がドイツ人の右派ジャーナリストによって引き起こされている点にも注目しなければならない。しかも、その手下はポーランドの反米、反NATOの親露派集団「ファランガ」に所属するポーランド人だった。

これはある種の国際テロであり、しかも実行犯にロシア人が1人もいない点も重要だ。

彼らは襲撃現場にナチスの鉤《かぎ》十字やネオナチのシンボル「88」を残し、あたかもウクライナの過激な民族主義者によって事件が引き起こされたような手掛かりをわざと残したのだ。

その詳細については、北ドイツ放送のニュース番組『ターゲスシャウ』の公式サイトが2019年1月31日の記事で以下のように伝えている（尚、原文はドイツ語なので、筆者の拙い翻訳で引用するが、間違いがあるといけないのでソースのURLも明示しておく）。


急進的な右翼雑誌「Zuerst!（「ファースト!」を意味するドイツ語）」の編集長で、最近までAfD議員マルクス・フローンマイアーのスタッフだったマニュエル・オクセンライターは押収されたチャットメッセージによって、ポーランドでのテロ裁判で重罪に問われている。クラクフの検察庁は、オクセンライターを放火事件の資金提供者と公式に発表した。また、ベルリンの検察庁も告発を受けて、放火教唆の疑いで捜査している。

2018年2月4日未明、フードを被った2人の男がウクライナの都市ウズゴロドにあるトランスカルパチア・ハンガリー文化協会（KMKS）に放火し、建物にナチスのシンボルを残して立ち去った。監視カメラで記録されたこの行為は、ウクライナ国内のネオナチがハンガリー少数民族を攻撃したかのように見せることが目的だったようだ。

その後しばらくして、犯人と思われる人物が特定された。ポーランド人のエイドリアン・Mとトマス・Shの2人は、直前に実名でウクライナに入国していた。エイドリアン・Mとトマス・Shは犯行を自供し、右翼過激派のポーランド人ミカエル・Pが依頼人だと自白した。ミカエル・Pはクラクフで起訴され、オクセンライターから犯行を教唆され、報酬として合計1500ユーロを受け取ったと証言した。オクセンライターは、放火の実行方法を詳細に指示していた。

オクセンライターは建物の外観に火の痕跡があることを特に重要視していたという。さらに、焼け焦げた外観の動画をメッセージサービス「Telegram」で送ることを要求した、とミカエル・Pは述べている。攻撃の効果を目の当たりにしたオクセンライターは、ミカエルPに「もう十分だ」と伝えたという。

テロの3日後、ミカエル・Pはベルリンのテーゲル空港のレストランでオクセンライターに会った。オクセンライターは彼に5枚の200ユーロ紙幣（1000ユーロ）を本に挟んで渡した。オクセンライターはすでに同様に本に挟み込んだ500ユーロをポーランドに送った後だった。

裁判資料の中に、ミカエル・P被告と彼の妻との間のチャットがある。彼女はこう書いている。

「それで、マニュエル（オクセンライター）とは何時に会うの？」

彼は答える。

「11時30分。私の飛行機は午後7時半発の便で、ワルシャワで乗り換え。でも、そのあとはタクシーを使うよ。こんなにたくさんの現金を持って地元の交通機関を利用したくないんだ」

2018年2月7日、オクセンライターは自身が編集長を務める雑誌「Zuerst!」で放火事件を報じ、ハンガリー語を差別するウクライナの教育法をめぐる緊張関係と犯行を結びつけている。

ミカエル・Pによると、彼はポーランドのイベントで初めてオクセンライターと出会ったそうだ。そのイベントは、ロシアと中国のエージェントとして活動したとしてポー

tagesschau Sendung verpasst?

Inland ▸ Prozess in Polen: Chat belastet Ochsenreiter

EXKLUSIV Prozess in Polen

Chat belastet Ochsenreiter

Stand: 31.01.2019 06:01 Uhr

Im Prozess wegen eines Brandanschlags in der Ukraine sind schwere Vorwürfe gegen einen Ex-Mitarbeiter eines AfD-Abgeordneten erhoben worden. Er soll den Angriff bezahlt haben.

Von Silvio Duwe und Georg Heil, rbb

Manuel Ochsenreiter, Chefredakteur des rechtsradikalen Magazins "Zuerst!" und bis vor Kurzem Mitarbeiter des AfD-Bundestagsabgeordneten Markus

ランドで起訴されているマテウス・ピスコルスキーの設立したセンターが主催したものだった。ピスコルスキーは、親露派政党「ズミアナ」の創設者であり、後にオクセンライターやＡｆＤから連邦議会議員となったフローンマイアーとともに、ベルリンでドイツ・ユーラシア研究センターを設立している。

ロシアと極右の関係についての著作もある時事評論家アントン・シェホフトソフによると、彼らの提唱する「ユーラシア思想」とは、西洋の自由民主主義に対するカウンターデザインとしての民族主義思想であり、ロシアの過激な右翼思想家アレクサンドル・ドゥーギンにまで遡ることができる。シェホフトソフ氏は「ドゥーギンはヨーロッパとロシアの極右の調整役だ」という。また、オクセンライターとミカエル・Pはドゥーギンの思想を宣伝するロシアのシンクタンク「カテホン」で働いているという共通点もある。

〈出典：“Chat belastet Ochsenreiter”(tagesschau)〈https://www.tagesschau.de/inland/ukraine-afd-ochsenreiter-101.html〉〉

右翼の民族主義者が必ずしも愛国者ではない

ウクライナもハンガリーもロシアの軍事的な圧力に抗するためには本来協力しなければならない立場にある。ところが、ザカルパッチャ州という火種によって両国の友好関係に亀裂が入り、結果的にウクライナのNATO加盟が遠のくことになった。

とはいえ、バイデン政権になってからアメリカの欧州に対するコミットメントは確かに強化された。ウクライナはその応援を受けて、ロシアに対するハイブリッド戦争返しを進めてはいる。しかし、ロシアはそれを「ウクライナのくせに生意気だ」とばかりに、再反撃の口実にした。結局、ウクライナはロシアから「攻撃」され続けている。クリミア併合の既成事実化は進み、東部ドンバス地方は親露派の武装勢力に占拠されたままだ。さらに、ロシアはウクライナ中央政界にも手を突っ込んで、親露派の野党を使ってウクライナそのものを親露国家に誘導しようとしている。やはり、これを止めさせるためにはウクライナが高度な抑止体制に入ること、つまりＮＡＴＯに加盟するしかない。

ところが、ロシアはタイミングを見計らったように温めておいたザカルパッチャ問題に火をつけた。しかも、外国人の工作員を使い、全く自分の手を汚さずに。さらに問題なのは、ドイツ人とポーランド人の2人の活動家をマッチングしたのは、ロシアのみならず中国の手先でもあったポーランドの極右活動家マテウス・ピスコルスキーだったことだ。ついにここで我々は中国の影を捉えた。

同じやり方を別の地域でも適用することが可能ではないかと気づいた人は大変鋭い。現在、ぎくしゃくしている日米韓の同盟関係を考えてほしい。日本と韓国の関係をハンガリーとウクライナになぞらえてみると多くの共通点があるのではないか。しかも、両国の関係悪化のために相手を挑発し続けているのは、韓国の場合左翼政党とその支持者たちだが、日本の場合は右翼の活動家やそれにシンパシーを抱く保守系の言論人たちだ。双方がマッチポンプになってお互いの感情を煽っているとしたら、その背後にある意図は何だろう？　この点については章を改めて解説したい。

本章のまとめとしてぜひ覚えておいてほしいことは、右翼の民族主義者が必ずしも愛国者ではないという事実である。彼らは反共思想でロシアや中国に敵対的な考えを持っているというのが世間一般の認識だが、ヨーロッパで実際に起こっていることは必ずしもそれが事実ではないことを証明している。

極右活動家の主張する反グローバリズム、自国第一主義は容易に歪めることができるし、ロシアや中国などの権威主義国家に都合のいい理論にすり替えることも簡単だ。口では愛国と叫ぶ彼らは、意識的に、あるいは無意識にハイブリッド戦争に動員された。そして、事実として見事にウクライナのＮＡＴＯ加盟を阻止したのだ。ロシアにとってこれほど頼もしい「兵隊」はいないだろう。

ロシア、中国、北朝鮮、イランなどの権威主義国家にとって、自由で開かれた社会は存在そのものが脅威だ。日本やアメリカで人々はこんなに自由に暮らしているのに、なぜロシアや中国には自由がないのか？　そんな疑問を自国民が抱き始めたら国家は崩壊する。

メッスネルの言う通り国家は「心理現象」だからだ。

だから、ロシアや中国は「攻撃は最大の防御」とばかりに、自由で開かれた社会を破壊するための工作を続けなければならない。同盟国は離反させ、自由で開かれた社会には隠された大きな矛盾があるとアピールする。例えば、ロシアのプロパガンダメディアのスプートニクやロシアトゥデイ（ＲＴ）が常にアメリカの社会問題を報じ続けるのはそのためだ。そして、我々の社会を分断し、混乱に陥るように様々な工作を仕掛けている。

相手が極右だろうが、反共主義者であろうが、ロシア人や中国人に対するヘイトを垂れ流す差別主義者だろうが、そんなことは関係ない。利用できそうな奴は徹底的に利用し、しゃぶりつくす。まさに反社会勢力のような狡猾さと、容赦のなさを兼ね備えているのがロシアや中国などの権威主義国家の特徴だ。我々が相手にしているのはそんな恐ろしい連中であることを肝に銘じておこう。

脚注

※1　https://www.nikkei.com/article/DGXZQOGN16EY20160620210000000/

第3章

2021年9月、日本を襲う危機

中国による日本へのリアルなスパイ工作

前章において、欧州ではロシアがハイブリッド戦争の手法を用いて、しつこくターゲットとなる国を攻撃し続けていることを学んだ。その手法は2014年のクリミア侵攻よりもアップデートされており、「リトル・グリーン・メン」は登場しない。工作活動を行う主体もロシア人ではないし、どちらかといえばロシアに敵対的と思われがちな極右勢力が利用されている。

ロシアと並ぶ権威主義国家、中国もまたハイブリッド戦争の能力を向上させている。その対象は周辺諸国のみならず、アメリカやヨーロッパにも及んでいる。

2020年7月23日、米司法省は中国人民解放軍との関係を隠して査証を不正に取得したとして、中国人4人を訴追したと公表した。その翌日には、テキサス州ヒューストンにある中国総領事館が閉鎖されている。米政府高官によれば、この施設は米国の知的財産を窃取する一大拠点だったとのことだ。同じ年の8月にはアメリカの国防に関わる機密情報を中国の情報当局に渡した疑いで元CIA職員、アレクサンダー・ユック・チン・マー氏が逮捕されている。

２０２１年2月、イギリス政府は中国国家安全省に勤務していたとみられる3人の人物が、記者を装い入国したとして、この3人を追放したと発表した。同年7月6日、ドイツ連邦検察は、中国のためにスパイ行為をしていた容疑で、シンクタンクの代表で政治学者のクラウス・Ｌ（Klaus L.）という男を訴追したと発表した。

アメリカや欧州にこれだけスパイを送り込んでいる中国が、日本に対して何の工作も仕掛けてないはずがない。間違いなく中国は日本に対しても欧米と同等か、それ以上の規模で日本に工作を仕掛けている。その分かりやすい事例を東洋経済オンラインの記事から抜粋して引用する。

積水化学工業では２０２０年10月、元社員がスマホのタッチパネルに使われる「導電性微粒子」技術を中国・潮州三環グループにメールで送信し、不正競争防止法違反罪に問われた。中国企業は、ＳＮＳ「リンクトイン」を通じて元社員に接触し接待を重ねていた。「元社員は解雇後、別の中国企業に転職したとされる。大阪地検が在宅起訴し、今年6月17日に初公判が開かれた。被告は起訴内容を認めている。

ほかにも2018年11月、電子通信機器製造販売の川島製作所で元役員の情報漏洩が発覚。翌2019年6月には、電子部品製造会社・NISSHAで営業秘密を抜き取り、中国企業に転職した元社員が逮捕され、その後、元社員には実刑判決が下っている。さらに2020年1月、ソフトバンク元社員が報酬の見返りにロシア元外交官に情報を渡したとして逮捕され、有罪判決を受けた。

先端技術の流出防止は警察外事課の仕事だが、ある県警の公安警察官は「企業は規模が大きくなるほど情報管理は自前でやると言い、協力が得にくい」とぼやく。情報処理推進機構が20年に行った調査によれば、中途退職者による漏洩は36・3%と、4年前に比べ増えている。

(https://toyokeizai.net/articles/-/436008)

この他にも、2021年4月20日、宇宙航空研究開発機構(JAXA)と日本国内約200の組織がサイバー攻撃を受けた事件は記憶に新しい。この事件では、中国共産党員でシステムエンジニアの30代の男が、私電磁的記録不正作出・同供用の疑いで警視庁公安部に書類送検されている。攻撃の踏み台となる日本国内のレンタルサーバーを偽名で契約するなどしていたからだ。

Tickによるサイバー攻撃の全体像

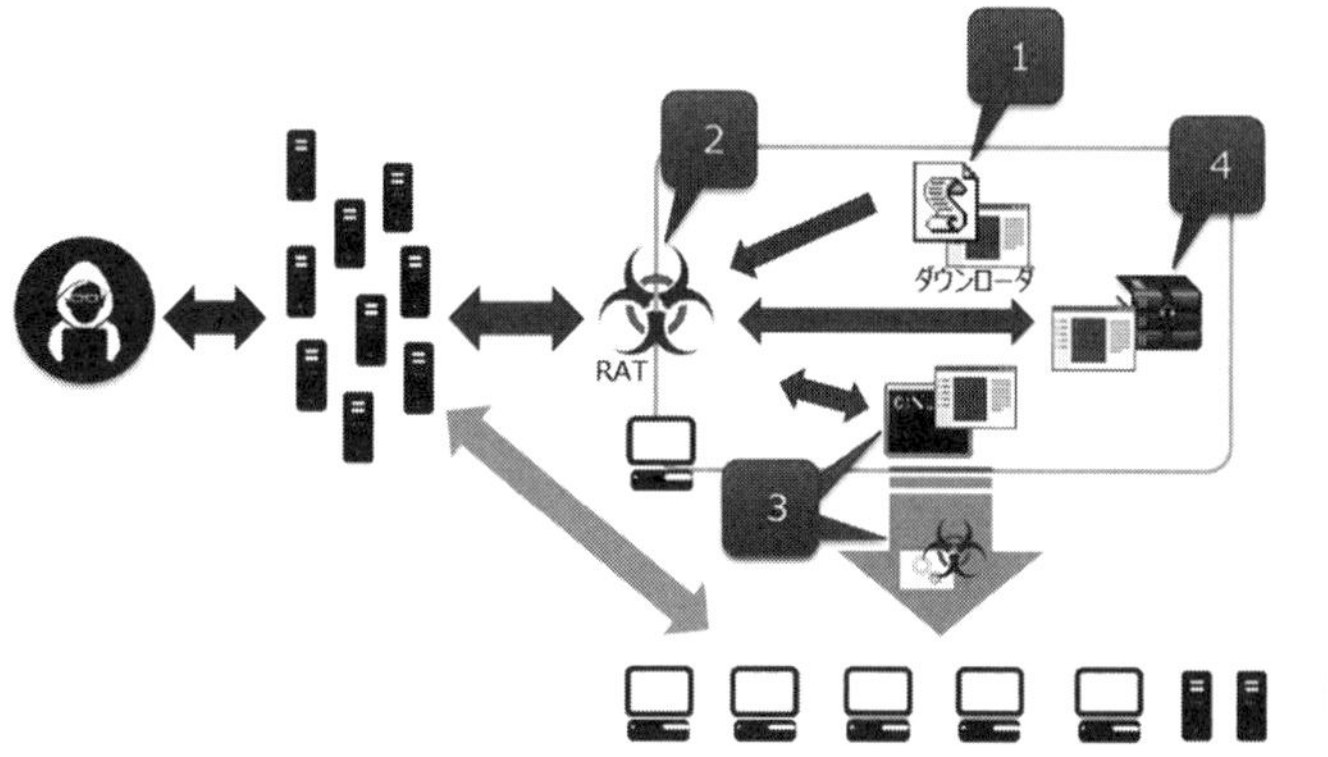

1. 標的組織の端末を何らかの方法でマルウェア（ダウンローダ）に感染させる
2. ダウンローダがRAT（Remote Access Trojan / Remote Administrative Toot）をダウンロード・実行して継続的なアクセスを手に入れる
3. RATを介して標的組織内で情報収集を行い、権限昇格や横断的侵害を行う
4. 侵害したサーバ・端末上に保存されている情報を、アーカイブ化して持ち出す
5. 潜伏し、一定期間後に再度活動を開始する

出典：Secure Works 資料

この事件が画期的だったのは、公安部が今回の事件に背後に中国軍の存在があることを公式に認めたことだ。発表によれば、中国・山東省青島を拠点とする中国人民解放軍のサイバー攻撃専門部隊「61419部隊」と、同部隊とメンバーがほぼ重なる「Tick（ティック、別名BRONZE BUTLER）」という国際的なハッカー集団の関与が濃厚であるとのこと。

「Tick」は2016年に存在が確認されて以来、主に日本と韓国の防衛産業やハイテク産業のような知的財産や機密情報を持つ企業に対するサイバー攻撃を執拗に行ってきた。その攻撃手法は多彩で、複数のツールを駆使して脆弱性をつくだけでなく、なりすましによる偽メールで拡張子の変更を依頼するといった、ソーシャルエンジニアリング的な手法も使っていた。

この一連の事件はハイブリッド戦争の非対称性を浮き彫りにする。攻撃側は国家的なリソースのバックアップを受けたハッカー集団で、防御側は大企業とはいえ一企業だ。プロの軍人と民間人の戦いともいえる。しかも、攻撃側が国家予算を使えるのに対して、防御側の企業は私費を投じるしかない。防御側の政府がこの攻撃を戦争行為と認識し、国費を投じて対策を講じない限り、この非対称性は続くことになる。極めて厄介な話だ。

しかも、中国の日本に対する攻撃は先端技術分野の情報窃取に限らず、マスコミやSNSを使った影響力工作、経済的利権を使った懐柔と恫喝、さらには風俗店の中国人店員に客のパソコンのデータを抜き取らせるといったセコいやり方まで多岐にわたる。中国の諜報活動は「バキューム・クリーナー・アプローチ（掃除機戦術）」とも称されるが、まさにその規模としつこさは異常だ。「超限戦」という中国版ハイブリッド戦争の名にふさわしい何でもアリの状態である。

孫子の兵法の現代版アレンジ

超限戦はロシアとはまた設計思想の異なる独特のハイブリッド戦争のコンセプトだ。それは1999年に人民解放軍の2人の大佐（喬良と王湘穂）が発表した論文が元になっている。

例えば、敵国に全く気付かれない状況下で攻撃する側が大量の資金を秘密裏に集め、相手の金融市場を奇襲して、金融危機を引き起こした後、相手にコンピューターシステムに事前に潜ませておいたウイルスとハッカーの部隊が同時に敵のネットワークに攻撃を仕掛け、民間の電力網や交通管制網、金融取引ネット、電気通信網、マスメディア・ネットワークを全面的なマヒ状態に陥れ、社会の恐慌、街頭の騒乱、政府の危機を誘発させる。そして最後に大軍が国境を乗り越え、軍事手段の運用を逐次エスカレートさせて、敵に城下の盟の調印を迫る。

（出典：『超限戦　21世紀の「新しい戦争」』喬良・王湘穂、角川新書）

「超限」には事物が互いに区別される境界線を超越するとか、限界を超えるという意味がある。それが物質であろうと、精神であろうと、法律であろうと関係ない。規則も、制限も、タブーもすべてを突破して、すべてのリソースが戦争の目的達成のために利用される。

さらには、戦場と非戦場の境界ですら消滅し、本来兵器でないもの（例えば携帯電話やWi-Fiルータ）も兵器として利用される。さらに、軍人と非軍人の境界すら曖昧となり、漁民が突如民兵に変身したり、風俗店の店員が突然スパイに変身したりもする。まさに兵は詭道なり。これは孫子の兵法の現代版アレンジなのだ。

また、オーストラリア戦略政策研究所（ASPI）は、「中国政府が背後にいるとみられる欧米のソーシャルメディア上における情報工作は、手口は未熟だが極めて執拗である」[※1]と評している。日本に対しても同様の執拗な工作があっても不思議ではない。さらに言えば、その執拗さはソーシャルメディア上の情報工作には留まるまい。実際に、サイバーセキュリティ会社、Secureworksは前述のハッカー集団「Tick」について「狙いを定めた企業に一旦侵入すると、長期間（数年単位）にわたり繰り返しスパイ活動を行う」[※2]と述べている。

なぜ中国共産党はこれほどまでに日本に粘着するのか？　多くの日本人にとってそのこだわりは謎であり、彼らの動機は理解不能だ。中国共産党をここまで駆り立てるものは何なのか？　少し先回りして言うと、実はこの動機を知ることがこの戦いに負けないためにとても役に立つ。

敢えて孫子の兵法を拝借しよう。「敵を知り己を知れば百戦危うからず」である。米ソ冷戦の最中、アメリカのＣＩＡは一貫してソ連の能力を過大評価していた。しかし、国防総省ネットアセスメント室の「ヨーダ」こと、アンドリュー・マーシャルは全く異なる見方を持っていた。軍事力だけでなく、経済、社会、歴史などありとあらゆる観点からソ連を評価し、経済統計が操作されていることを見抜いたのだ。

１９９１年、ソ連が崩壊して経済統計の秘密のベールが剝がれると、マーシャルの予想通り大規模なＧＤＰ統計の改ざんが発覚する。ソ連の公式発表では工業生産が１９１７年から１９８７年までの70年間に３３０倍増加し、国民所得が１４９倍になったことになっていたが、これは真っ赤なウソだったのだ。

マーシャルはソ連が崩壊すると、今度はいち早く中国の台頭を予想した。そして、２０

19年3月26日に97歳で死去するまで分析を続けたという。日本政府は長年マーシャルら「ジェダイの騎士」たちと秘密裡に交流を続けてきた。最後にマーシャルが日本政府関係者に会ったのは2018年9月のことだった。

（マーシャルは）「中国の行方がどうなるか……。分からん。私たちは、知らないことが多すぎるのだよ」。2006年に取材し、中国の将来予測をたずねると、こう繰り返した。その数年後に会ったときにも、「うーん、中国は分からん」と顔をしかめていた。

そんな彼が、中国の行方を予測しようと貫いた手法が、反中や親中という先入観を排し、中国を科学的に調べ上げることだ。

人口動態、水の需給、世論の変化。歴代王朝の行動も繰り返し、研究したという。聴診器やレントゲンを使い、中国を診断する「医学者」に似ている。

こうしてたどりついた結論が、中国が不安定になれば、予測できない行動に走る危険もふえる、というものだ。この思考が、米軍によるアジア関与拡大路線の下敷きになっている。

関心の対象は中国だけではない。マーシャル氏の側近によると、日本で鳩山政権が生まれた09年には、日本が米国から離れ、自主防衛や日中融和の路線に転じる可能性がないか、ひそかに調査したという。

同氏の姿勢から、日本が学べることは多い。領土や歴史で対立する日中は、とかく感情が先走りがちだ。だが、感情の曇りガラスを外し、冷徹に中国を観察して初めて、正確な実像やリスクがみえてくる。

(https://www.nikkei.com/article/DGXLASDE13H05_T11C14A1SHA000/)

統治の正当性に大きな脆弱性がある

確かに「感情の曇りガラスを外し、冷徹に中国を観察」することは大事なことだ。それこそがまさに「敵を知り己を知れば百戦危うからず」の実践である。では、マーシャルのやり方に倣って、中国を深く観察し、なぜハイブリッド戦争を仕掛けてくるのか、その原因について探ってみよう。

まず、中華人民共和国という国家機構は日本やアメリカなどの民主主義国家とは大きく異なる点を頭に入れておこう。中国の場合、国家の上に党があり、政府は共産党の指導に従うことになっているからだ。外務大臣よりも共産党の外交担当の方が格上で、首相の李克強よりも共産党のトップである習近平の方が偉い。中国共産党は一度も民主的な選挙を経ることなく、建国以来現在まで権力の座に就いている。

建国の父毛沢東は共産党による統治の正当性について、「抗日戦争」を勝利に導き、日本を追い出したことを挙げた。しかし、これは事実ではない。日本と戦っていたのは蒋介石の国民党だ。中国共産党は日本が降伏した後に武装解除した日本軍の武器を強奪し、それを使って国民党を台湾に追い出しただけだ。日本とは直接戦争をしていない。

毛沢東が死去し、鄧小平が権力を握るようになると、それまでの社会主義路線を転換して、改革開放路線が始まった。そして、中国は以前より豊かになった。鄧小平は、共産党が人民を豊かにしたので、その統治の正当性があると言い出した。

ところが、2012年に習近平が権力の座に就くと、またしても統治の正当性の根拠が変化する。習近平は「中国の夢」と「中華民族の偉大なる復興」をぶち上げ、経済でも軍事でもアメリカを抜いて覇権国家になると宣言する。まだ達成していないが「中華民族の偉大なる復興」を成し遂げられるのは共産党だけなので、統治の正当性があるというのだ。

我々の感覚からすれば、こんな苦しい言い訳をするぐらいなら、普通選挙を実施して白黒をはっきりさせればいいと思う。しかし、中国共産党は絶対に選挙はやらない。自分たちが負けてしまうリスクがあるからだ。

中国共産党は、人民を締め付けたり、緩めたりしながらバランスを取り、統治の正当性の理由をコロコロ変えていないと、中華人民共和国という「心理現象」を維持できない。毛沢東が締め付け、鄧小平が緩め、再び習近平が引き締めるという大きな流れはまさにそれを象徴している。とはいえ、相対的には緩めた鄧小平も天安門事件では民主化を求めた人民を戦車でひき殺している。所詮、共産党は自分たちの一党独裁が壊れない範囲でしか人々の自由を認めないのだ。

だから、中国共産党は人民が統治の正当性を否定したり、疑問を呈したりすることは許さない。国家の存立基盤である統治の正当性に大きな脆弱性があることを認識しているがゆえに、強権的な手段を容赦なく使って反対派、懐疑派を徹底的に押さえつける。そして、その弾圧は実際に反対している人だけではなく、これから反対しそうな人々にまで及ぶ。

新疆ウイグル自治区で100万人以上のウイグル人が強制収容されている問題はまさに

それだ。また南モンゴルでモンゴル語教育を禁止した理由も同じである。内モンゴル自治区に住むモンゴル人がモンゴル人としてのアイデンティティを持つこと自体が中国共産党にとっては脅威なのだ。2019年6月に香港で発生した大規模なデモに対して、それがいくら平和的であっても武力で徹底的に弾圧した理由もこれと全く同じである。平和的な香港民主派の抗議活動も、中国共産党から見れば恐怖でしかない。

統治の正当性の欠如という問題は中国で繰り返された王朝交代の歴史の呪縛に直結する。中華皇帝（天子）は巨大な力を持っているがゆえに皇帝として認められており、人民にその力を失ったと思われたらすぐにニセ皇帝の烙印を押されて滅ぼされてしまう。

「綸言汗の如し」という言葉をご存じだろうか？　綸言とは中華皇帝（天子）の言葉であり、その言葉は一度発したら、汗が体に戻らないのと同じように取り消すことはできない。現代の中華皇帝もこの呪縛からは逃れられない。

鄧小平は中国人民を豊かにしたと言ったが、実際には9億人の農民戸籍を持つ人々は奴隷のような生活に甘んじ、都市戸籍を持つ上級国民との格差は拡大した。しかも、リーマンショックに前後して欧米に追い付くだけのキャッチアップ型経済が頭打ちになり、2015年のチャイナショック以降成長は鈍化する一方となった。どうも鄧小平の「綸言」の実行は怪しい。「先富論（豊かになれる条件を持った地域、人々から豊かになればいい）」は間違いで、現実は「未富先老（豊かになる前に老いる）」ではないのか？　鄧小平路線を引き継いだ江沢民と胡錦涛がこの疑問に答えを出せなかった。そして、いつの間にかこの論点は習近平によって回収され、「中華民族の偉大な復興」へとすり替えられたのだ。

習近平は台湾統一を自らぶち上げ、十字架にした

２０２１年7月1日、習近平は中国共産党創建百年式典で演説し、「中華民族は国外勢力によるいじめや圧迫を許さない。そのような妄想は14億中国人民の血肉で築いた鋼鉄の長城に必ずぶつかり、頭から血を流すだろう」と述べた。

習氏は灰色の人民服を着て1時間強にわたって演説し、経済発展を実現して中国から貧困をなくしたとする功績を誇示した。「中華民族の偉大な復興を実現させるため、中国共産党は人民を団結させて導いてきた」と何度も繰り返し、「中国の特色ある社会主義があってこそ中国は発展できる」と主張した。香港についても「国家安全を維持する

ための法律や組織を導入し、香港社会を安定させた」と自賛した。

一方で欧米などからの批判を念頭に「中華民族の血には他人を侵略し、覇権を唱えるDNAはない。中国は常に世界平和の建設者だ」と主張した。

(https://www.tokyo-np.co.jp/article/113918)


習近平の頭の中ではすでに貧困はなくなっていて鄧小平の綸言は達成されたことになっている。そして、次の目標として「中華民族の偉大な復興」がセットされているのだ。演説の中でそれを何度も繰り返したのは、アメリカに代わって世界の覇権を握るという宣言だ。

さらに、演説の中で習近平は「台湾問題の解決と祖国の完全統一の実現は中国共産党の揺るぎない歴史的任務で、中国全国民の共通の願いだ」、「台湾海峡の両側の同胞を含む中国の全ての息子と娘は協力し、団結して前進し、いかなる『台湾独立』のたくらみも断固として粉砕する必要がある」と述べた。形式上は「平和的な統一」を呼び掛けてはいるが、武力行使も辞さない覚悟を示したといえる。しかし、台湾問題へのこだわりは後々厄介なことになりかねない。

「小康社会を実現する」という抽象的な綸言なら、まだいくらでもその達成をごまかすことができる。ところが、台湾統一はそれが達成できたか、できなかったかが誰の目にも明らかだ。習近平は台湾統一を威勢よくぶち上げたが、それは結局自分自身が背負う十字架になってしまうのではないか？

この発言に先立つこと4か月前、米インド太平洋軍のデービッドソン司令官は3月9日の米上院軍事委員会の公聴会で「6年以内に中国が台湾を侵攻する可能性がある」と証言している。

デービッドソン司令官は「彼ら（中国）は米国、つまりルールにのっとった国際秩序におけるわが国のリーダーとしての役割に取って代わろうという野心を強めていると私は憂慮している……2050年までにだ」と発言。「その前に、台湾がその野心の目標の一つであることは間違いない。その脅威は向こう10年、実際には今後6年で明らかになると思う」と語った。

（https://www.afpbb.com/articles/-/3335866）

デービッドソン司令官の予言通り、習近平は台湾に対するコミットを強めた。本当にこの6年が勝負かもしれない。経済成長に陰りが見え始め、急速な少子高齢化が進む中国に残された時間は少ないからだ。

10年以上前から民主主義を拒絶している

では、ここで習近平にとって今後最大の課題である台湾問題についてやや掘り下げて解説していきたい。何を隠そう、台湾は2000年以降、すでに2回も中国に統一されそうになっている。1回目は2008年から発足した馬英九政権の最初の5年間であり、2回目は蔡英文政権成立後の2018年11月以降の数か月間である。この2度の危機に至る直接の原因となったのは、いわゆる「核心的利益」に関する中国共産党の政策の変化だ。中国共産党が2011年9月に発表した「中国の平和的発展の道」と題した白書の該当部分を引用する。

――独立自主の平和的外交政策を断固として実施

中国人民が自ら選んだ社会制度と発展の道を堅持し、**外部勢力による中国への内政干**

渉を許さない。平和共存五原則の基礎の上に、すべての国との友好協力関係を発展させ、いかなる国や国家グループとも同盟を結ばず、社会制度やイデオロギーの違いによって国と国の関係の親疎を決めることはしない。各国国民の自ら社会制度と発展の道を選ぶ権利を尊重し、他国の内部事務に干渉せず、強大な国が弱小国をいじめることに反対し、**覇権主義と強権政治**に反対する。共通点を求めて相違点を保留し、対話や話し合いによって矛盾と食い違いを解決し、**自らの意志を他人に無理に押しつけることをしない。**中国人民の根本的利益と世界人民の共通の利益から出発し、事自体の理非曲直をわきまえて立場と政策を確定し、公正を堅持し、正義をアピールし、国際事務において積極的かつ建設的な役割を果たしていく。

中国はあくまで国の核心的利益を守っている。中国の**核心的利益には、国の主権、国の安全、領土の保全、国の統一、中国の憲法に定められた国の政治制度、社会の大局の安定、経済社会の持続可能な発展の基本的保障が含まれる。**

中国は、各国が自国の利益を守るという正当な権利を十分に尊重し、自国の発展の実現に努めると同時に、他国に正当で配慮した利益を十分に心がけ、他国を損なわせ、災いを押しつけることは決してしない。

（http://japanese.china.org.cn/politics/txt/2011-09/22/content_23472005_7.htm）
〈※太字、傍線は筆者による〉

極めて抽象的な内容だが、読み解くのは容易である。まず、冒頭の「中国人民が自ら選んだ社会制度と発展の道」とは、国共内戦から中華人民共和国建国、そしてその後の一党独裁体制の継続のことを指している。それはもちろん民主的な手続きを経ていないが、「中国人民自らが選んだ」と強弁しているのだ。

民主主義国家であれば、その人民の選択が定期的に行われる国政選挙によって更新されるのだが、中国の場合はそれがない。一度契約してしまったら解約不可のブラック条項付きの社会契約となっている。これはどう考えてもおかしい。ところが、そういった疑問を呈することは「外部勢力による中国への内政干渉」になる。そして、中国共産党はそれを「許さない」と宣言している。つまり、これは誰に何を言われようとも、未来永劫一党独裁体制を続けるという宣言だ。

次に、「覇権主義と強権政治」「自らの意志を他人に無理に押しつけることをしない」の部分だが、正直中国共産党が自分自身のことを言っているのかと思った人も多いだろう。

しかし、ここで暗に名指しされているのはアメリカとその同盟国だ。中国共産党の理屈によると、「人民が自ら選んだ道」にケチをつけるのが覇権主義であり、強権政治になる。そして、「自らの意志を他人に無理に押しつけることをしない」とは、「民主主義を押し付けるな」と読み替えればよい。日米共同宣言に書かれた「自由で開かれたインド太平洋」などという価値観はもう10年以上前から拒絶しているということだ。

そして、問題は外国からの干渉を排除して中国共産党が守る「核心的利益」である。その具体的な内容は、列挙された事項から読み解くことができる。以下、解説付きで箇条書きにしておこう。

①国の主権：主権者は国民ではなく中国共産党、究極的には習近平ただ一人
②国の安全：一党独裁体制の安全
③領土の保全：不当に占領した領地（チベット、ウイグル等）は手放さない
④国の統一：③の領土は不可分だし、失われた領土（台湾）は取り戻す
⑤中国の憲法に定められた国の政治制度：政府は共産党の指導を受けるという制度
⑥社会の大局の安定：反乱は許さん

⑦経済社会の持続可能な発展の基本的保障：資源、食料など必要なものは手に入れる

4番目に出てくる領土の保全の中に、台湾統一が含まれている。しかし、そもそも歴史上中華人民共和国が台湾を統治したことは一度もない。領土を取り戻すどころか、文字通り、これは単なる侵略戦争なのだ。

ところが、中国共産党はこれが国内問題だと言って憚らない。台湾侵略に異を唱える外国に対しては「内政干渉だ」と怒りをあらわにしている。この理屈はどう考えてもおかしい。日本人から見れば、台湾の独立を認め、大国の余裕を見せた方が国際政治上中国にとってメリットが大きいような気もする。

もちろん、当事者である中国共産党もそのことは理解しているはずだ。しかし、それを取り下げることはできない。そんなことをすれば綸言が未達成となり、中華皇帝のメンツは丸潰れとなるからだ。

上昇し続けていった台湾経済の中国依存度

鄧小平が権力の座に就いて以降、「台湾解放」という方針は引っ込められ「一国二制度による平和統一」という方針が前面に押し出された。台湾に親中的な政権を誕生させ、往来の自由化、経済の自由化を通して中国と不可分な関係を構築し、最後に政治統一する。2008年3月の総統選挙で親中的な政策を掲げた馬英九が当選したのはまさに千載一遇のチャンスだった。馬英九は2期8年にわたって中台関係を「改善」したからだ。

しかも、タイミングの良いことに、政権発足後から半年ほどでリーマンショックが発生している。これは台湾経済の中国依存度を高めるには好都合だった。リーマンショックが発生した直後、欧米諸国が対応に苦慮する中、中国政府は即座に4兆元の景気対策を実施し、いち早く経済危機から立ち直ったからだ。

ちなみに、この当時日本は麻生政権だったが、金融政策を軽視して日銀の引き締め気味のスタンスを変更させることをしなかった。当時の日銀総裁は「デフレ大魔王」と言われた白川方明である。リーマンショックが発生してから、世界各国の中央銀行がバランスシ

金融危機後の実質GDP推移

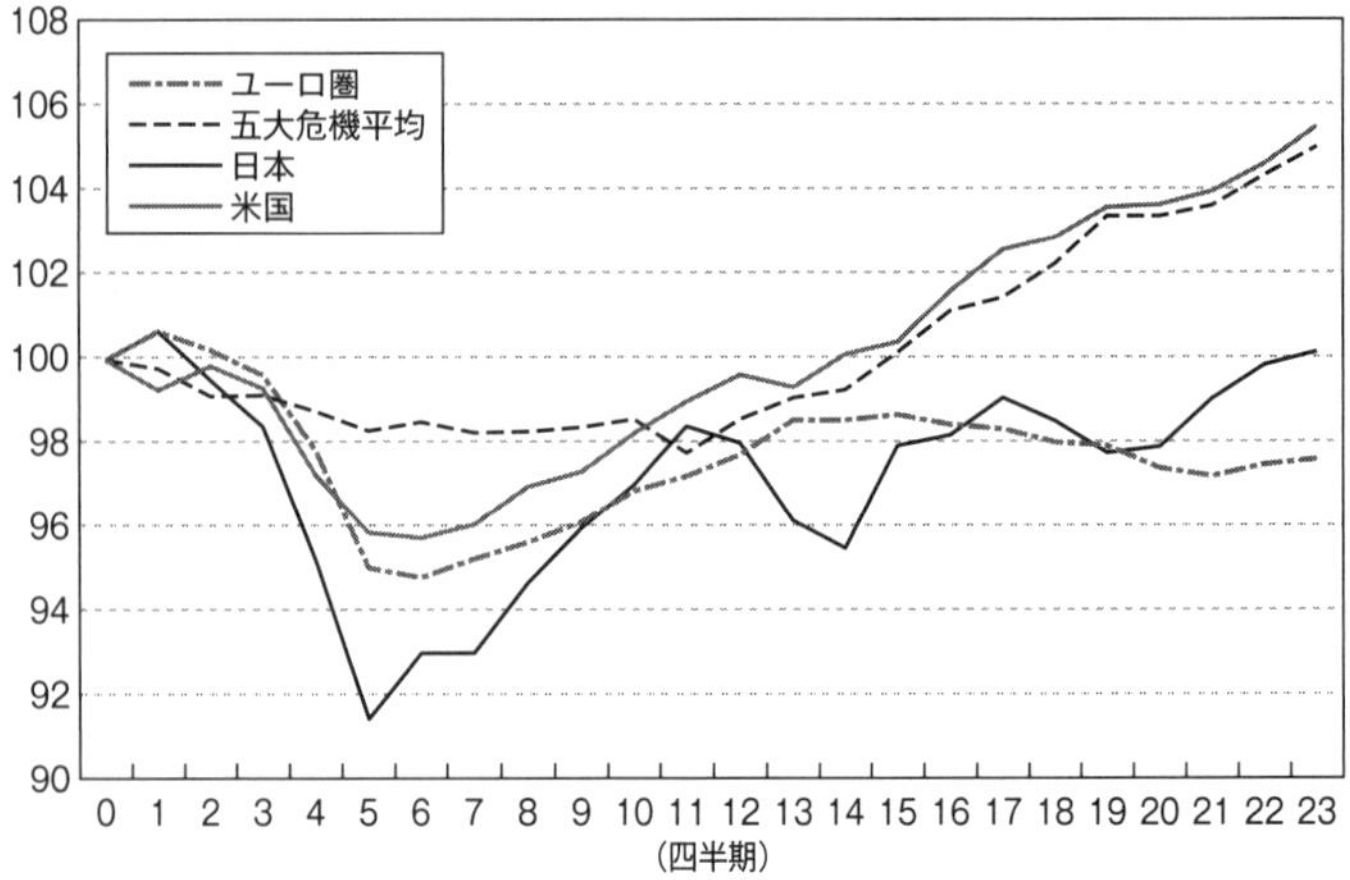

https://www.rieti.go.jp/jp/columns/s14_0006.html

ートを2倍、3倍、4倍と膨らませて大規模な金融緩和を行ったのとは対照的に、白川は丸2年の間、文字通り何もしなかった。日本は、リーマンショックの震源地でもないのに、GDPがアメリカ以上に落ち込み、その後の回復も先進国でビリになった。

商売はシビアだ。リーマンショックの克服に手こずる日本を尻目に台湾が中国に接近していったことは当然といえる。日本がいち早く回復することで台湾経済を助けることができなかったのは忸怩たる思いだ。

さて、次ページのグラフは2000年以降の台湾経済の対中依存度の推移を表している。実は、馬英九政権前の陳水扁政権の頃から、台湾の貿易における対中依存度は右肩上

台湾経済の対中依存度

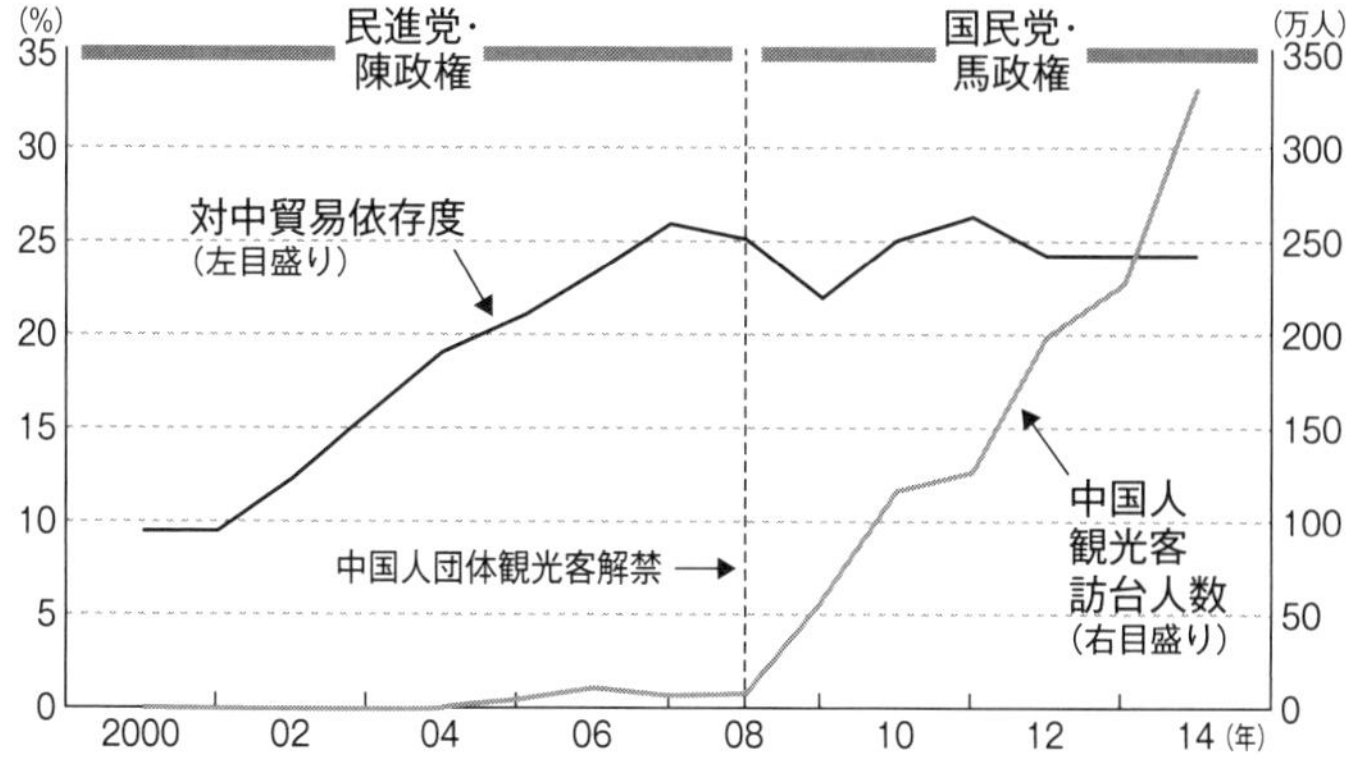

※域内総生産(GDP)に占める中台貿易額の割合を算出
※行政院大陸委員会の資料から
https://www.sankei.com/article/20160118-T6EGTD53ZZPS3MEXGBHUSJZR54/photo/ORE5JB5K25J6ZBTJFED7SKJIXU/

がりになっていた。バブル崩壊以降低迷する日本経済と、高度成長を続ける中国経済。その差が、中国への貿易依存度を高めていたともいえる。台湾を中国に押しやったのは日本の経済失政かもしれない。

馬英九政権になると、中国との間の貿易制限は緩和され、「三通（通商、通航、通郵）」が実行に移された。中でも、中国人団体観光客の解禁は、サービス消費の面で台湾を急速に中国に依存させた。上のグラフを見ればその結果は一目瞭然だ。

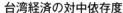

「平和的統一」への仕上げをもくろんだ中国

ハイブリッド戦争において経済というのは重要な武器だ。経済的な利権を餌としてぶら下げ相手を儲けさせれば、今度はそれを取り上げると脅すこともできる。

例えば、2020年にオーストラリアが武漢肺炎の起源について第三者機関を交えて調査すべきだとWHOに提案したことがある。これに怒った中国政府は国民に対してオーストラリアに旅行しないよう勧告した。中国の文化観光省は同年6月5日に「豪州には決して行かないように」との通知をホームページで公表し、その理由を「中国人やアジア系に差別的な発言や暴力行為が明らかに増えている」などと主張している。もちろん、この主張は単なる口実だ。中国に都合の悪いことを言うオーストラリアを、観光客を武器として懲らしめているつもりなのだ。

2008年の馬英九はまんまとこの策略にハマってしまった。もちろん、インバウンド消費増加は経済的に見ると輸出の増加と同じ効果がある。国のリーダーが自国経済の成長を望まないはずはない。しかし、ハイブリッド戦争を仕掛けてくる中国にとって、ありとあらゆるものが武器として利用される可能性があることは気を付けておくべきだった。

東京外国語大学教授で政治学者の小笠原欣幸氏は、馬英九政権下での中国の台湾取り込み工作について次のように論評している。

馬政権登場後の5年間は中国にとって統一への地ならしを進めるチャンスであった。この5年間で中国の対台湾政策はいくつかの成果を達成している。中台の当局間では一定の信頼関係が醸成された。直行便就航、中国人観光客解禁、ECFA（中台自由貿易協定に相当）を含む多くの協定が締結され、非難合戦も影をひそめた。ECFAの交渉が難航していた時、温家宝首相が「台湾に譲歩せよ」と号令をかけたことからわかるように、中国側は台湾に優遇措置を与えている。中国による台湾産農産物・養殖魚の買い付けも行なわれているし、最近締結されたサービス貿易協定においても台湾側に有利な項目が盛り込まれている。中国は、台湾のWHO（世界保健機関）へのオブザーバー参加、ICAO（国際民間航空機関）へのゲスト参加を容認し、台湾が渇望する国際社会への参与にも配慮を示した。2008年の北京オリンピックの際には、国民党の呉伯雄名誉主席が胡錦濤に直談判したことによって、中国は台湾チームの名称（“Chinese

Taipei”の中国語訳）を、従来中国が使用していた「中国台北」から台湾が要求する「中華台北」に変えた。

このように、中国は台湾の「機嫌をとる」一方で、台湾取り込みの工作を強めている。台湾は、中国への輸出でかせぎ出す黒字がなければ全体の貿易黒字は維持できない構造にある。台湾の大企業の多くは、製造拠点あるいは消費市場としての中国大陸を経営戦略に組み込んでいる。ＥＣＦＡ締結によって中台経済はさらに密接になった。その分、台湾経済の中国依存が強まる。中国人観光客の訪台が常態化することで台湾の地方経済にも影響を与え、農産物や養殖魚の買い付けは民進党の支持基盤を切り崩す意図で行なわれている。また、親中派企業家による台湾メディアの買収によって、中国寄りの情報が大手メディアを通じて台湾にあふれている。

(http://www.tufs.ac.jp/ts/personal/ogasawara/analysis/taiwansviewandpolicytowardchina.pdf)

このまま馬英九政権が続いていれば、台湾人は自ら望む形で中国共産党の言う一国二制度を採り入れ、平和的に統一されてしまう可能性があった。しかし、経済面における中国への依存度が急上昇したにもかかわらず、台湾人の中国に対する警戒感はあまり緩んでい

台湾人のアイデンティティの推移に関する調査(1992~2020.12)

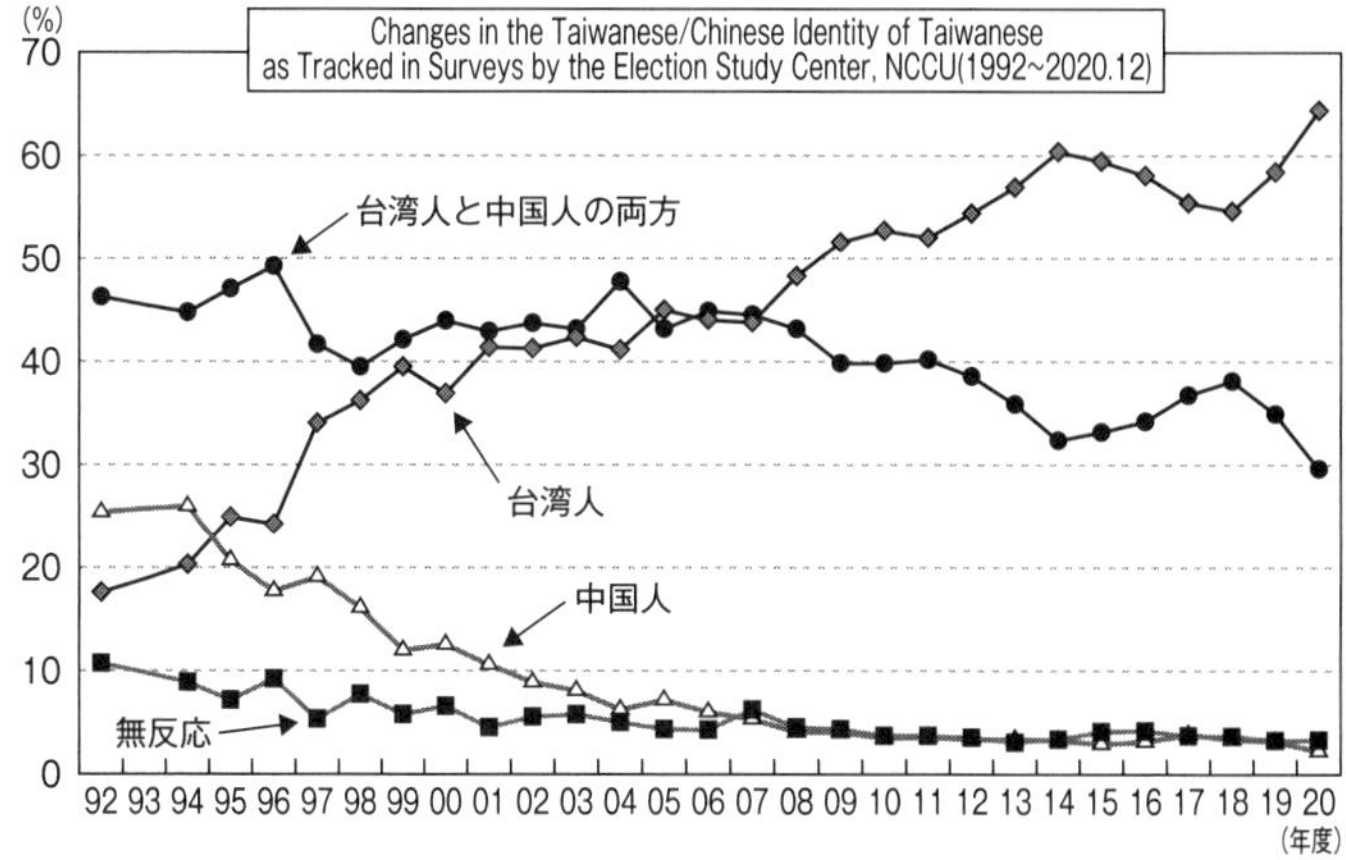

資料：國立政治大學選舉研究中心
https://esc.nccu.edu.tw/PageDoc/Detail?fid=7804&id=6960

なかった。いやむしろ警戒感は高まっていたかもしれない。上のグラフは台湾の政治大學選挙研究センターが行った、台湾人のアイデンティティの推移に関する調査結果である。

馬英九政権が誕生した2008年以降、自分のことを「台湾人」だと認識する人が右肩上がりとなっている。そして、馬英九が退陣する2016年ごろになると、その割合は約1・5倍の6割にまで増加した。

これに対して、自分のことを「中国人」あるいは「台湾人と中国人の両方」と考える人は大きくその割合を減らしている。中国による取り込み政策は失敗だったのだろうか？

これは必ずしもそうとは言い切れないところがある。同大学の別の調査で政党別の台湾人

政党別台湾人アイデンティティの変化（1992~2020.12）

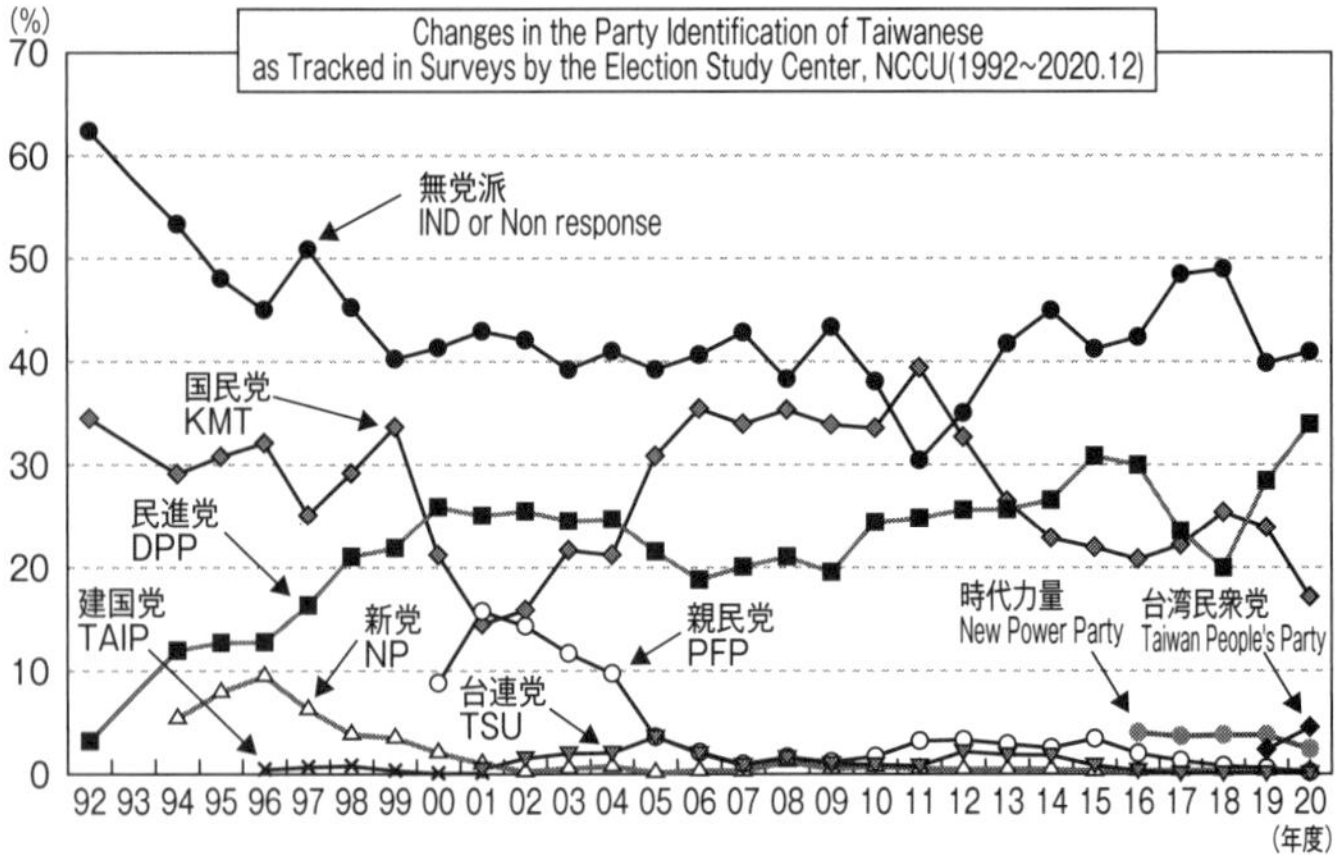

資料：國立政治大學選舉研究中心
https://esc.nccu.edu.tw/PageDoc/Detail?fid=7806&id=6965

アイデンティティ推移を示したグラフを引用する。

馬英九政権を支える国民党支持者の中に、アイデンティティの変化が観察できる。２００５年以前は３割強の国民党支持者が自分を台湾人だと認識していた。ところが、２０１２年以降この割合が急減し、２０１６年の総統選挙の年には約２割まで減少していたのだ。

中国共産党が当時この事実に気づいていたかどうかは分からない。台湾人の意識の変化を気長に待つか、馬英九政権を千載一遇のチャンスと見て一気に台湾統一を進めるか？　アメリカの覇権に対して１００年のマラソンで勝負を仕掛ける中国なら当然前者を選択すべきだった。

ひまわり学生運動と強まる中国への警戒感

ところが、2012年に習近平が権力の座に就いたことで流れは変わった。2014年以降、中国の台湾統一に向けた動きはエスカレートし、誰の目にも中国の強引さが目立つようになった。当然、その強引さゆえに台湾国内に中国に対する反発が広がってくる。その象徴的な事件は、2014年に発生した市民と学生による立法院占拠事件と、それから端を発したひまわり学生運動である。

2010年に馬英九政権が中国と締結した両岸経済協力枠組み協定（ECFA）は一般的なFTAの水準には程遠い内容だった。馬英九政権は当時の世論の警戒感に配慮して、貿易分野のごく一部の自由化にとどめたからだ。中国共産党も台湾人の反発を考慮してその内容に妥協した。そして、本格的なFTA締結問題を先送りした。

ECFAから3年後の2013年6月、先送りしていたFTA問題を解決するため、両岸サービス貿易協定というより広範な品目を対象とした貿易協定が締結された。ところ

両岸サービス協定の是非に関する世論調査結果

	2013年6月	同7月	同9月	2014年3月(立法院占拠前)	同3月(占拠後)
支持する	31.6%	32.6%	31.8%	32.8%	25.3%
支持しない	47.9%	42.7%	44.1%	44.5%	47.9%
その他	20.6%	24.7%	24.1%	22.9%	26.9%

https://ir.ide.go.jp/index.php?action=pages_view_main&active_action=repository_action_common_download&item_id=49876&item_no=1&attribute_id=58&file_no=1&page_id=39&block_id=158

が、中国に対する台湾人の警戒感は馬英九が考えるほど緩んでいなかった。政権は世論の激烈な反対に遭遇する。馬英九政権と与党国民党は協定の承認案を強行採決しようと画策するが、これに怒った市民と学生たちが２０１４年３月18日から４月10日まで立法院を占拠した。結局、法案審議は時間切れとなり協定は発効せずに終わる。

世論調査からは、この占拠事件を経て両岸サービス貿易協定に対する世論はますます厳しくなったことが分かる。また、この事件を機に、ひまわり学生運動が草の根レベルで広がり、中国に対する警戒感を持つ人が増えていった。

また、一連の動きは約半年後の11月に実施された台湾統一地方選挙に大きな影響を与えた。この選挙でなんと与党国民党が惨敗した。台北や高雄などが含まれる直轄市の市長選挙においては新北市以外で全敗、その他の首長選挙も民進党と無所属候補の当選者は国民党候補者の約2倍となった。

台湾問題に詳しい金美齢氏によれば、この一連の流れは2012年に日本で安倍政権が誕生したことが大いに関係しているとのことだ。日米同盟を立て直し、アベノミクスで経済を力強く復活させた安倍総理の存在に、統一地方選の野党候補者たちは大いに勇気づけられたという。そして、この統一地方選挙の結果を受けて、2016年の台湾総統選挙の流れが決まった。三選禁止規定により出馬できない馬英九の後継者である朱立倫を、民進党の蔡英文が大差で破る。この政権交代によって台湾平和統一の危機は去ったかのように見えた。

台湾国民の期待を裏切った蔡英文

ところが、蔡英文の人気は当選した時がピークで、1年もしないうちに支持率と不支持率は逆転した。そして、2018年11月時点で不支持が支持の2倍という危機的な状況に

蔡英文の支持率と不支持率が逆転

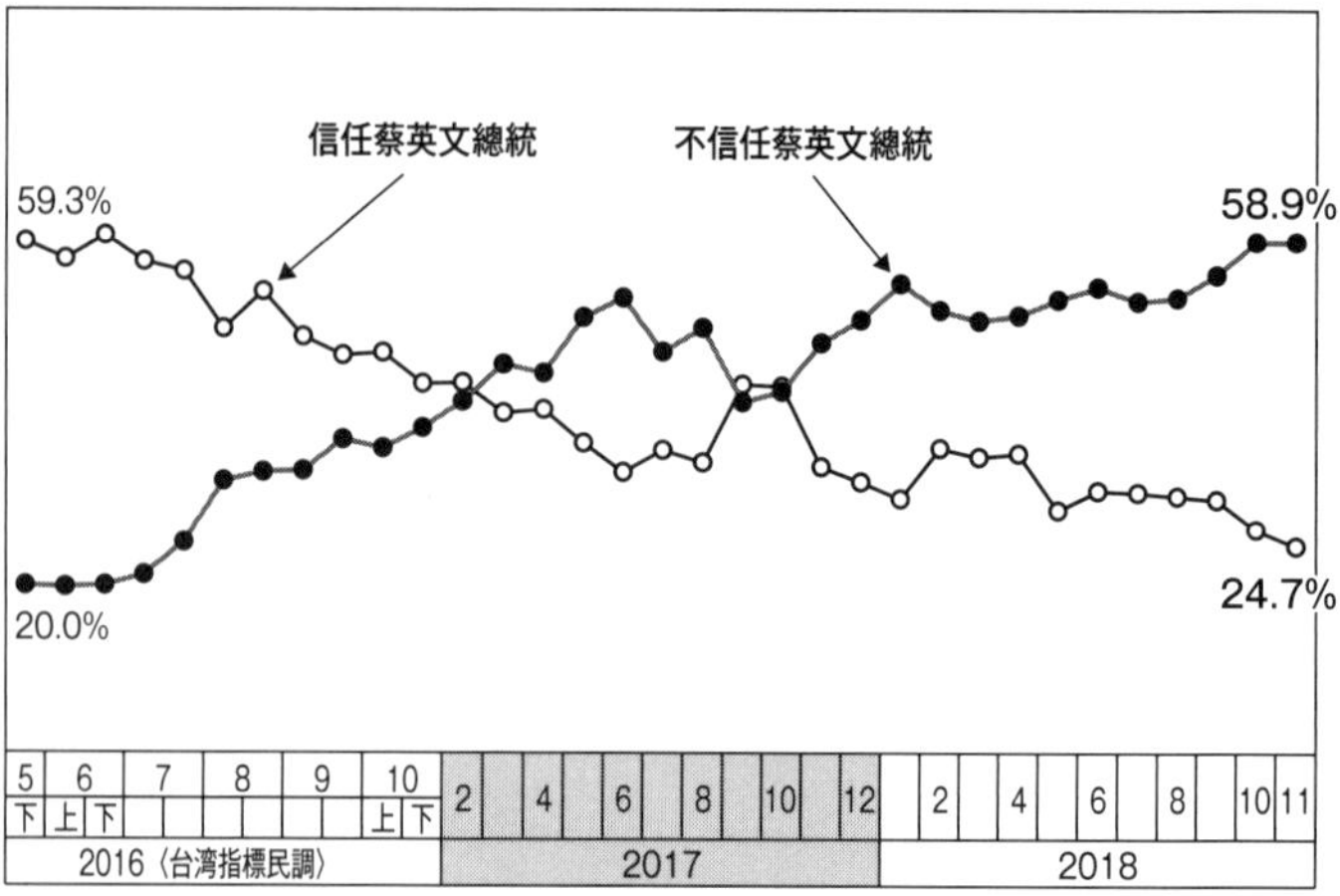

http://www.my-formosa.com/DOC_140647.htm

陥ったのだ。

蔡政権はなぜ人気を失ったのか？　東京大学東洋文化研究所教授の松田康博氏は次のように分析している。

　蔡政権は、馬英九・中国国民党（国民党）政権に対する怨嗟《えんさ》の声から誕生した。つまり、伝統的な支持層から中道の有権者にいたるまで、現状変更の強い期待の下に誕生した政権である。言い換えるなら、支持率低下は、いくつもの異なる期待に反した結果である。

　第一に、政権成立当初、清新さが足りなかった。蔡総統は慎重な政権運営のために、林全・行政院長（首相に相当）をはじめとして、「老人、国民党系、男性（老藍男）」といわれるベテランを配置した。このことにより、民進党支持層に、「自分たちの政権ではない」という悪印象を与えてしまった。

第二に、政権成立当初から困難な構造改革を断行した。軍人、公務員、教員の年金改革は、受取額が減る人々の反発が強烈であった。労働基準法改正は、労働時間短縮につながったものの、決定が何度も覆され、労使双方に強い不満を残した。

脱原発と代替の火力発電所建設は、経済界からの不安と建設予定地住民の反発を招いた。国民党が過去に取得した「不当財産」の差し押さえも、メディアからは政治的迫害との報道をされている。改革されるものは抵抗し、改革支持者はその進展が遅いと不満を持った。

第三は、中国を刺激しない現状維持政策である。蔡政権は、中国と馬政権との間の「一つの中国」に関わるコンセンサス（92年コンセンサス）を受け入れない一方で、「台湾独立路線」を封印している。中国を挑発することで、対米関係を不安定化させないためである。しかしそれでも中国との関係は悪化し、ビジネスチャンスを失った業界からは批判が起き、同時に独立派からは、物足りないと突き上げられている。

全台湾、県・市長の所属政党の変化

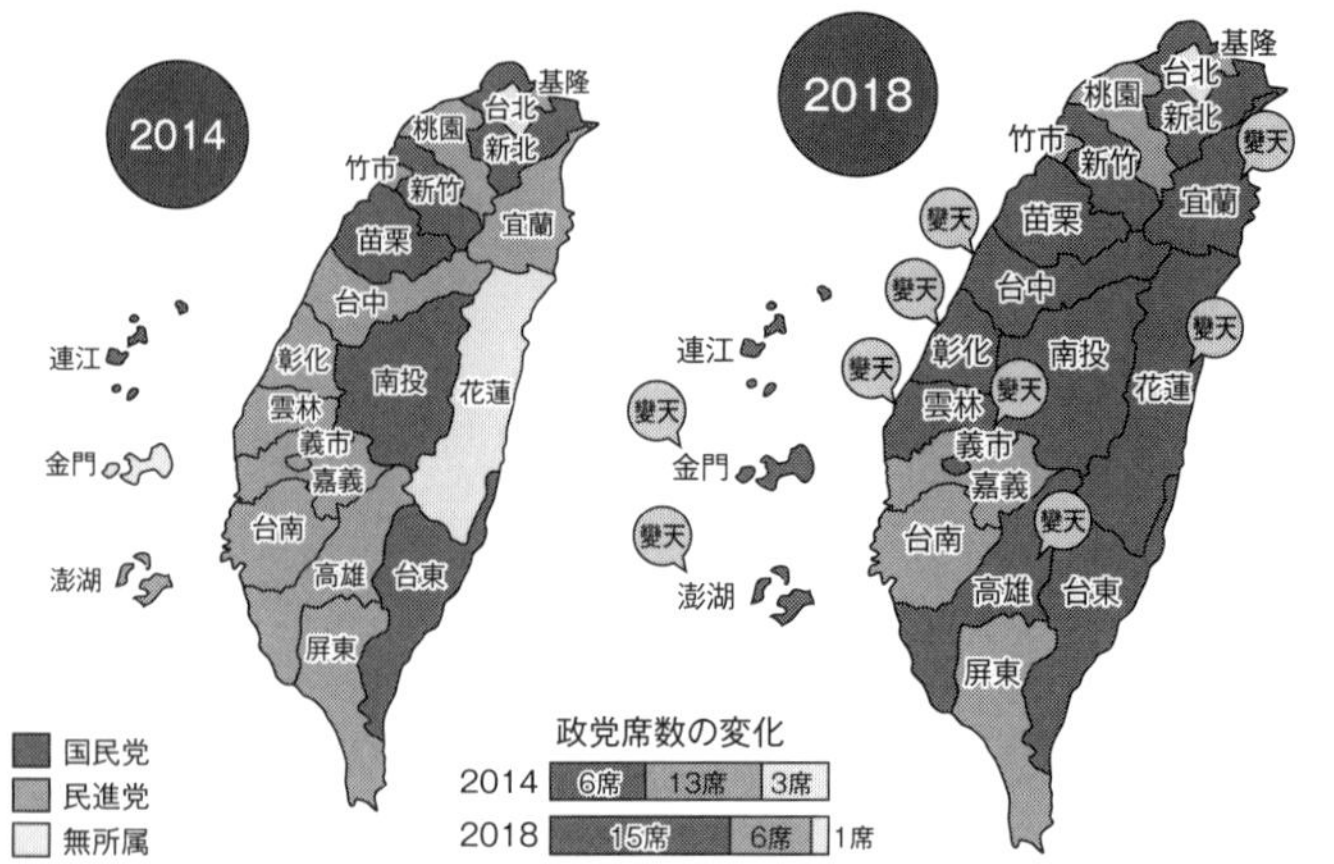

https://jp.taiwantoday.tw/news.php?post=145956&unit=148&mofa_login=true

(https://wedge.ismedia.jp/articles/-/14266)

まさに日本の民主党政権のグダグダを再現するかのような状況だったと言えよう。日本では民進党が台湾独立派だと認識されており、中国に対抗する保守政権だと思っている人が多い。残念ながらこの認識は間違っている。台湾における保守はあくまでも国民党であり、民進党は極めてリベラルな政党なのだ。蔡英文政権はアジアで初めて同性婚を認めているし、松田氏の論説の通り脱原発、カーボンニュートラルを進めたリベラルな政権だ。そして、そのお花畑感ゆえに、台湾国民の期待を裏切ってしまったのだ。

そして、さらに悪いことは続く。2018

年11月台湾統一地方選挙において、民進党は前回獲得した多くの首長の座を失い惨敗したのだ。民進党は全22県市の首長ポストを選挙前の13から6に減らし、国民党は6から15に増やした。

蔡英文は敗北の責任をとって民進党の主席を辞任した。当時、日経新聞は「総統としての職務は続けるが、政権の求心力低下は避けられない」と論評している。まさに万事休す。

そして、勢いに乗る国民党は、民進党の地盤である高雄市の市長選挙で逆転勝利した韓国瑜を2020年の総統選挙の候補者に選出した。再び親中派が台湾の政治を牛耳り、平和的統一に向けて突き進んでしまうのか？

習近平が自らチャンスを潰す！

ところが！　好事魔多し。習近平は自らこのチャンスを潰してしまった。事の発端は2019年6月に香港で発生した逃亡犯条例に反対する民衆の大規模なデモだ。このデモに対する激しい弾圧は台湾の人々に恐怖を与えた。馬英九政権が推進してきた一国二制度に

よる平和的な統一の結末はやはりこれなのかと。ちょうどこの時期、台湾の方が描いたという触れ込みでＳＮＳ上に出回った風刺画があるので紹介しておこう。

中国共産党が、内モンゴル、新疆ウイグル、チベット、香港で血なまぐさい弾圧をして、次は台湾の扉をノックしている。台湾の次には日本の沖縄、北海道が続く。不気味だが本質を突いた風刺画だ。

そんな中、中国共産党は本性を現す。なんと、台湾を恫喝し始めたのだ。２０１９年７月31日、中国政府は台湾への個人旅行を当面の間停止すると発表した。確かに、２０１６年の蔡英文政権の誕生以降、大陸からの観光客は減少傾向にあったが、それでも２０１８年の観光客は２０５万人で、そのうち１０７万人が個人旅行だった。ちなみに、中国から

蔡英文の支持率が急上昇

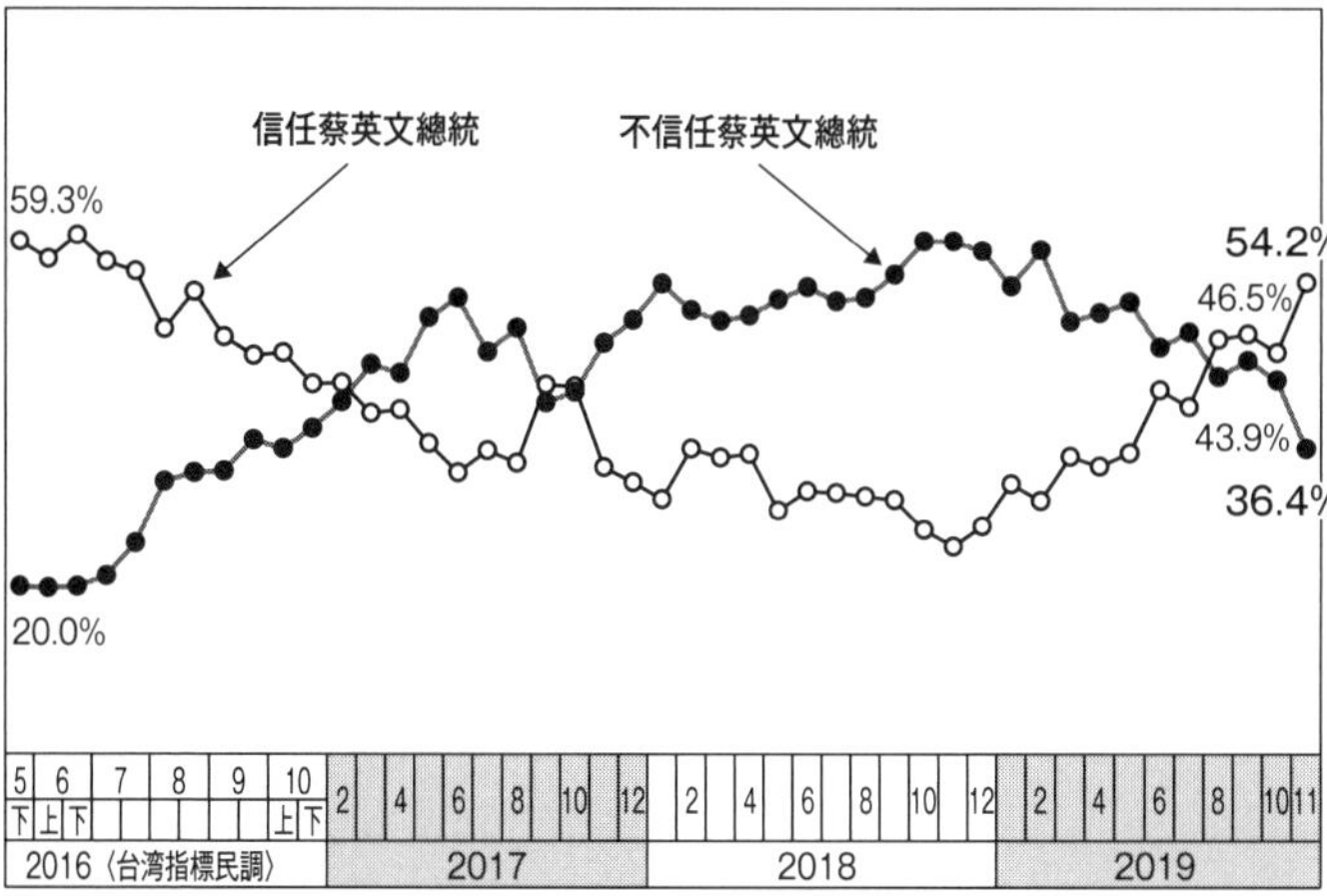

http://www.my-formosa.com/DOC_151991.htm

のインバウンド消費に沸いていた日本でもこの年の中国人観光客の人数は144万人である。経済規模が日本の約8分の1の台湾にとってそれがいかに大きな数字か分かるだろう。しかも、この措置は発表の翌日から即座に実施された。

確かに、同月8日に台湾に対してアメリカが戦車や地対空ミサイルなど総額22億ドル（約2400億円）の武器売却を決めたことは中国共産党を刺激したかもしれない。しかし、直接の引き金になった事件よりももっと大事なところに目を向けるべきだ。今回の措置は、習近平による鄧小平路線の放棄を意味するからだ。そして、台湾へのアプローチも平和統一から台湾解放に戻った。習近平は外交面でも鄧小平を否定し、毛沢東を復活させてきたのだ。

ところが、習近平の政策の転換は完全に裏目に出た。30%を切っていた蔡英文の支持率は急上昇し、2019年11月には、政権発足時の最高支持率に迫る54・2%に達したのだ。1年前には統一地方選挙に惨敗し、再選はあり得ないと思われていたのに、情勢は一気にひっくり返ってしまった。

この勢いを駆って、蔡英文は2020年1月の台湾総統選挙で約820万票（得票率57%）を獲得し圧勝した。そしてこの後、習近平にとっては最悪のタイミングで武漢を震源地とする新型肺炎のパンデミックが始まる。前の年の8月から中国人観光客を減らされる制裁を受けていた台湾はかえって助かってしまったのだ。

これは習近平にとってはますます気に入らないことだ。2021年7月1日の中国共産党創建百年式典で台湾統一を改めて表明し、恫喝のボルテージを上げたのはそのフラストレーションの解消という側面もあったかもしれない。

日米両国の介入リスクを高めた強硬路線

そんな中、習近平にまたもや厄介なことが起こる。今度は日本だ。2021年7月5日、麻生副総理兼財務大臣が、台湾有事が発生した場合に自衛隊が参戦する可能性があると発言したのだ。

中国が台湾に侵攻した場合の対応について、麻生副総理兼財務大臣は、安全保障関連法で集団的自衛権を行使できる要件の「存立危機事態」にあたる可能性があるという認識を示しました。

麻生副総理兼財務大臣は5日、都内で講演し、中国が台湾への圧力を強めていることを踏まえ「台湾で騒動になり、アメリカ軍が来る前に中国が入ってきて、あっという間に鎮圧して『中国の内政問題だ』と言われたら、世界はどう対応するのか」と指摘しました。

そのうえで「台湾で大きな問題が起きると、間違いなく『存立危機事態』に関係してくると言っても全くおかしくない。日米で一緒に台湾を防衛しなければならない」と述べ、中国が台湾に侵攻した場合「存立危機事態」にあたる可能性があるという認識を示しました。

(https://www3.nhk.or.jp/news/html/20210706/k10013121481000.html)

防衛白書によると存立危機事態とは、「わが国と密接な関係にある他国に対する武力攻撃が発生し、これによりわが国の存立が脅かされ、国民の生命、自由及び幸福追求の権利が根底から覆される明白な危険がある事態」とされている。台湾有事がそれに相当するなら、日本は集団的自衛権による武力行使の可能性があることを示唆する。

翌日、麻生氏の発言を受けた岸信夫防衛大臣は「いかなる事態で存立危機事態にあたるかは、実際に発生した個別具体的な状況から総合的に判断する」と述べた。さらに、麻生氏の発言は政府の考えを踏まえたもの、つまり日本政府の公式見解だということを改めて強調した。この発言はマスコミ報道を通じて中国側に伝わることを予想して敢えて言ったものと思われる。

そして、予想通り発言は中国側に伝わった。中華皇帝のメンツを傷つけられたと思ったのだろう。中国外務省の趙立堅副報道局長は激しい言葉で日本を非難した。

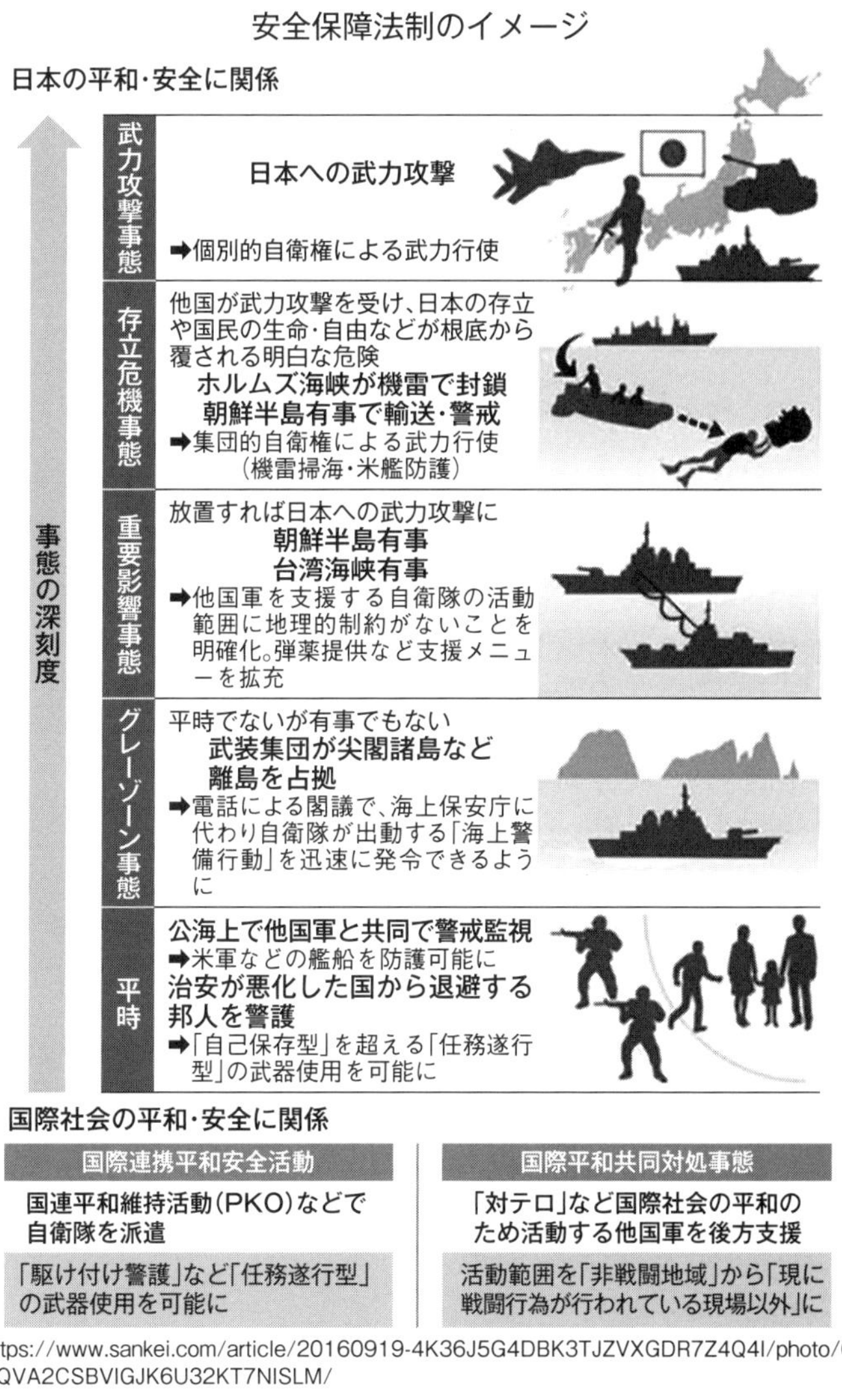
安全保障法制のイメージ
日本の平和・安全に関係
事態の深刻度
武力攻撃事態
日本への武力攻撃
➡個別的自衛権による武力行使
存立危機事態
他国が武力攻撃を受け、日本の存立や国民の生命・自由などが根底から覆される明白な危険
ホルムズ海峡が機雷で封鎖
朝鮮半島有事で輸送・警戒
➡集団的自衛権による武力行使（機雷掃海・米艦防護）
重要影響事態
放置すれば日本への武力攻撃に
朝鮮半島有事
台湾海峡有事
➡他国軍を支援する自衛隊の活動範囲に地理的制約がないことを明確化。弾薬提供など支援メニューを拡充
グレーゾーン事態
平時でないが有事でもない
武装集団が尖閣諸島など離島を占拠
➡電話による閣議で、海上保安庁に代わり自衛隊が出動する「海上警備行動」を迅速に発令できるように
平時
公海上で他国軍と共同で警戒監視
➡米軍などの艦船を防護可能に
治安が悪化した国から退避する邦人を警護
➡「自己保存型」を超える「任務遂行型」の武器使用を可能に
国際社会の平和・安全に関係
国際連携平和安全活動
国連平和維持活動（PKO）などで自衛隊を派遣
「駆け付け警護」など「任務遂行型」の武器使用を可能に
国際平和共同対処事態
「対テロ」など国際社会の平和のため活動する他国軍を後方支援
活動範囲を「非戦闘地域」から「現に戦闘行為が行われている現場以外」に

https://www.sankei.com/article/20160919-4K36J5G4DBK3TJZVXGDR7Z4Q4I/photo/6EQVA2CSBVIGJK6U32KT7NISLM/

中国外務省の趙立堅副報道局長は6日の定例会見で、麻生太郎副総理兼財務相が、台湾海峡情勢が悪化した場合に集団的自衛権を行使できる「存立危機事態」にあたる可能性に言及したことについて、「強烈な不満と断固とした反対」を表明し、日本側に抗議したと明らかにした。

趙氏は、麻生氏の発言を「誤っており、危険だ」と非難。過去の日本の侵略の歴史にも触れて「現在の中国はすでに当時の中国ではない。いかなる方式であっても台湾問題に介入することは絶対に許さない」と語った。

また台湾政策を担う国務院台湾事務弁公室も同日、「台湾問題に干渉する一切の誤った言動をやめるよう求める」とする報道官のコメントを発表した。

(https://www.asahi.com/articles/photo/AS20210708000029.html)

この抗議に対して日本政府は全く怯まず、台湾有事へのコミットメントを撤回したり、弱めたりはしなかった。現政権下において、日本が台湾を見捨てることはない。これは麻生大臣が明言する前から、おそらく2021年4月の日米首脳会談から決まっていたことだ。そして、それを改めて2人の大臣が明言し、記者に書かせることでコミットメントはより強化された。これは中国側としても無視できないものだ。当然台湾統一に向けた動きも慎重にならざるを得ない。

日本の安全保障の現場を疲弊させる中国の策略

とはいえ、慎重になることは台湾統一に向けた動きをやめるということを意味しない。すでに動き出したものは、メンツにかけて止められないのだ。近年、中国による台湾侵攻の準備は着々と進んでいる。数年前から台湾はすでにロシアのクリミア侵攻前夜の状態に置かれているという見方もある。国際政治学者の志田淳二郎氏は次のように指摘している。

現在の台湾情勢は、ロシアのウクライナに対するハイブリッド戦争が発生した前段階と極めて似ている。今年三月一日から、台湾産パイナップルが中国により禁輸されている。一帯一路の援助国である中南米・太平洋島嶼・アフリカ諸国に台湾との外交関係断交を迫るなど、中国は台湾への政治的圧力を強めている。中国発の軍事圧力もエスカレートしている。二〇二〇年九月十八日、中国人民解放軍が台湾海峡で軍事演習を行った。演習の一環で、中国国営の中央テレビは、台湾に向き合う福建省に基地がある第七十三集団軍が参加する市街戦演習の動画を公開した。これは台湾進攻作戦の模擬演習とみられている。

台湾は断続的に中国初のサイバー攻撃にも見舞われている。二〇二〇年八月十九日、台湾当局は、中国政府とのつながりのある二つのハッカー集団が台湾政府機関と数千人の政府関係者の電子メールアカウントを標的にしたサイバー攻撃をしかけたと発表した。そして、台湾はすでに中国のA2／AD（接近禁止・領域拒否）戦力の環境内に封じ込められており、台湾有事の際、中国が「核の恫喝」を米国や同盟国・友好国に仕掛ける可能性もある。（中略）

現状は、中国に有利な国際環境が生まれれば、明白な武力行使とは判別し難い、非国家主体を動員するハイブリッド戦争をいつでも台湾にしかけ、台湾併合を達成できる状態にある。

（出典：「中国が仕掛けるハイブリッド戦」志田淳二郎〈『正論』2021年7月号〉）

これに加え、中国は日本に対してもギリギリのラインでハイブリッド戦争を仕掛け続けている。海軍より低強度の海上警察（海警）を使った尖閣沖での「警察ごっこ」はとくに有名だ。物理的に日本の安全保障の現場を疲弊させるのが目的だろう。

日本を試す行為は、空でも続いている。2019年度に、中国軍機を対象としたスクランブルは675回に及んだ。実に1日に2回出撃している計算だ。中国空軍が人海戦術でパイロットをローテーションし、好きなタイミングで軍機を繰り出せるのに対して、航空自衛隊は常にそれに備えていなければならない。

この策略に付き合い続ければいたずらにパイロットが疲弊する。特にスクランブル機に乗るエースパイロットに異常な負担がかかることは想像に難くない。自衛隊は中国の意図を見抜き、スクランブルの回数を抑制した。2020年のスクランブル回数は約220回減ったが、それは中国軍機が飛来する回数が減ったことを意味しない。ギリギリの攻防は続く。

この他にも、クリミア侵攻で名を馳せた「リトル・グリーン・メン」にあやかって、「リトル・ブルー・フィッシャーメン」と名付けられた海上民兵を中国は自在に動かすことができる。中国海軍と海警および海上民兵は2010年ごろから連携して南シナ海のファイアリークロス、スービ、ミスチーフの岩礁を強奪し、埋め立てて軍事拠点を作り上げた。

2018年5月にはこの3拠点に対空ミサイルが運び込まれたとの報道もある。銃弾もミサイルも一発も発射されなかったが、これは立派な侵略行為だと言えるだろう。これもまた国際法の抜け道、ギリギリのラインだ。

さらに、本章の冒頭で取り上げた日本の研究機関や先端技術を狙ったサイバー攻撃や中国が最も得意とするプロパガンダを用いた影響力工作もある。

このように、すでに日本は海と空だけでなく、デジタル領域や認知領域に至るまで、中国のありとあらゆる攻撃にさらされている。その当面の目的は、台湾有事から日本を遠ざけ、介入させないことにある。

もちろん、憎き日本は最終的には侵略して滅ぼす気なのかもしれないが、それをやるのは少なくとも台湾を片づけてからだ。逆に言うと、台湾を取られれば、日本は危ない。だから、台湾を防衛することは日本の国防に直結している。この点で、いま日台両国の利害は完全に一致している。台湾防衛に対する日本のコミットメントを弱めてはならない。

2021年秋の解散総選挙は中国共産党のビッグチャンス

逆に、中国共産党は日本の世論や政界に働きかけて台湾防衛へのコミットメントを弱めようとするだろう。日本政府に台湾を見捨てさせ、中国の台湾に対する特別な地位と権益を認めさせるのだ。

それを実現するためには、あの民主党政権の時のように政治が弱く、官僚が跋扈して政府が機能不全になっていれば十分だ。例えば、民主党政権下の2010年9月7日に尖閣諸島付近で発生した、海上保安庁の巡視船と中国漁船の衝突事件を巡る迷走劇がモデルになる。台湾有事においてもあれが再現できればいいのだ。

そのためには、主要四領域（実体、デジタル、電磁波、認知）のうち、認知領域における優位性が重要である。日本国民の感情を煽り、冷静な判断を失わせて誤った判断をさせる。そのタイミングが国政選挙に重なればさらにラッキーだ。そのために、軍事、経済、文化、出稼ぎの風俗嬢から大学教授に至るまでありとあらゆるものを動員するのだ。さぁ、超限戦の始まりだ！

タイミングの良いことに度重なるコロナ対応の失敗（の報道）で菅内閣の支持率は下がっている。２０２１年秋の解散総選挙は中国共産党にとってはビッグチャンスだ。

例えば、与党の議席数を現有議席以下に減らせれば、菅総理の求心力は低下し、相対的に弱い内閣になることは確実だ。まして、自民党を単独過半数以下に追い込めば、親中的な公明党の重みは増し、より大きな勝利を手に入れることができるかもしれない。

中国共産党は躊躇なく日本の選挙に介入してくるだろう。伝統的な親中派勢力といえば左派メディアや左翼政党だが、中国は新しい武器を手にしている。それはアメリカ大統領選挙の陰謀論に引っかかってしまった騙されやすい極右勢力だ。

一部のインフルエンサーに日中国交断交とか、尖閣沖で中国船を撃沈せよとか、台湾を国として承認しろとか、過激で性急な意見を言わせてハードルを上げるのだ。そのハードルをクリアできない人間を容赦なく親中派としてバッシングさせる。

自民党の議員に対して親中狩りを仕掛けるのもいいだろう。親中派議員リストを作ってSNS上で執拗に拡散し、落選運動をするのも手だ。もちろん、そのリストには本物のモグラ（中国のスパイ）も入れておく。そうすることで信憑性も増すからだ。極右を使って保守派を内部分裂状態に陥れる。アメリカ大統領選挙の陰謀論はいい練習になったのではないか。

私はこの策略はすでに実行されたと思っている。伝統的に親中派政党である公明党を使って、対中非難決議の成立を阻止したことは非常に大きな成果だった。この件で、虎ノ門ニュースがひとしきり盛り上がっていたことがその証だ。

ジャーナリストの有本香氏はこの件で自民党から抗議文が届いたことを暴露し、自身の出演回でその内容を逐一批判した。保守的なニュース解説を流す虎ノ門ニュースが自民党を批判して支持者の仲間割れを助長してくれるのだから、中国共産党にこれほどありがたいことはない。できれば、この話をたびたび蒸し返して、自民党支持者内の右派勢力が今回の選挙で自民党への投票をためらうように誘導できればいい。

さらに言えば、今の自民党はだらしないということで、反中的な政策を前面に押し出した極右政党を作るのも1つの手だ。小選挙区で当選できる議員は1人しかいない。票が割れれば落選の確率は高まる。「自民党の右側に柱を立てる」という大義名分で、右翼的なインフルエンサーを広告塔にすれば効果は抜群だ。虎ノ門ニュースのキャスターを何人かスカウトするのもいいだろう。

もちろん、彼らには反中的な論調をエスカレートさせてもらわないと困る。できればへイトスピーチの方が助かる。「中国と断交しろ」では生ぬるい。「中国人は日本から出ていけ」とか、「海警の船は撃沈しろ」とか、「皆殺しにしろ！」といった物騒なものが望ましい。

この新党の内部では、過激な意見に全体が引っ張られるリスキーシフトが起こるだろう。それがエコーチェンバーを強化し、異論を排除するリンチが始まる。そのリンチの矛先を自民党の親中派議員に向かわせるのだ。弱腰な親中派議員を応援する奴は裏切り者、非国民だとネットに晒せばよい。ここは日本語が堪能な五毛党の出番かもしれない。

最初の一撃を古くからの「中国の友人」に撃たせる

この作戦のポイントは日本人の感情を徹底的に煽ることにある。なぜなら、日本人は頭に血が上ると、勝てる見込みのない戦いに自ら飛び込んでいく悪い癖があるからだ。戦前の対米開戦の決断を思い出すといい。日本国民の大多数がアメリカと戦争しても負けるし、それが「ドカ貧」をもたらすことは分かっていた。ところが、分かっていても「このまま座して死を待つより一撃を加えて散る」ことを選んだ。

日本人は長い間ストレスに晒されると、その苦痛から逃れようとして自暴自棄になるらしい。バブル崩壊以降、デフレ不況があれだけ続いたにもかかわらず、フランスの黄色いベスト運動のような騒乱は起こらなかった。その代わり、毎年平均1万人以上の自殺者が上乗せされた。ストレスから逃れるために自滅する。これが日本人の心の弱さなのだ。

中国共産党から見れば、極めてラッキーなことに、いま日本人は武漢肺炎とそれに伴う行動規制という重圧の下にある。そして人々の我慢はもう限界だ。キレる理由を探している。日本人を徹底的に挑発して、キレさせ、対中政策で深刻な内部対立状態を作り出すのは難しくない。

例えば、最初の一撃を古くからの「中国の友人」に撃たせることもできるだろう。極左の活動家、プロ市民、左翼政党、左派メディア、左巻きの知識人などを使い、極右的なインフルエンサーを徹底的に挑発するのだ。

中国共産党は、中国政府が望むような発言をして、中国の利益になるよう働く「友人」たちを、各国のエリートやリーダー層の中に多数育ててきた。具体的には外国の識者や有力な（元）政治家、メディア関係者を代弁者にして「アメリカ一強時代は終わった」「中国の勢いは止まらない」「中国に歯向かう愚をやめて良好な関係になろう」「西側は中国のやり方を見習おう」と宣伝させていた。

また同党は、経済関係の悪化を脅しに使い、中国に対する批判的な意見を封殺することに成功している。外国のマスコミが北京を怖がり批判を抑えるように仕向け、メディア資本を買収して支援額も増やしている。

（出典：『「目に見えぬ侵略」「見えない手」副読本』奥山真司監修、飛鳥新社）

日本には政官界をはじめマスコミに「中国の友人」が多数存在する。彼らを使って、「平和が大事」、「台湾問題は中国の国内問題」、「日本が台湾問題に首を突っ込めば痛い目に遭う」といった話を吹聴させるのは造作もないことだ。彼らは中国共産党が何の命令も下さなくても、その意図を汲み取って勝手に発言してくれることだろう。

極右勢力を煽って尖閣問題に火を付ける

日本国内の議論が沸騰しかけたところで、中国共産党は戦争の強度を上げてくるかもしれない。例えば、尖閣沖や台湾海峡で偶発的な事故を装って問題を起こし、そこに日本人を巻き込むのだ。巻き込まれるのは、海上保安官や海上自衛官ならベストだが、これらプロフェッショナルの守りは固い。簡単には事故に巻き込まれてくれないだろう。

そこで使えるのが日本の極右だ。ロシアが欧州で行っているハイブリッド戦争を思い出してほしい。ロシアに利用されているのは伝統的な親露派左翼ではなく、反グローバリズム、自国優先主義を訴える極右勢力だった。

極右活動家を煽って、漁業従事者だと強弁させ尖閣諸島に日本漁船が大挙して押し寄せる状況を作ることができれば、何らかのトラブルが発生する確率が上がる。また、そういう状況になれば海警や海上民兵によっていろいろな仕掛けもできそうだ。

極右の活動家に尖閣諸島周辺で「漁業活動」をさせ、彼らを拿捕したり、何らかの理由で立ち往生した船を救助したりする。もちろん、中国側の言い分では尖閣諸島は中国領なので、日本人乗組員は領海への不法侵入を理由に拘束される。海上保安庁や海上自衛隊は、中国公船を拿捕するわけにもいかず、彼らは中国に連行され裁判を受けるような事態となる。これは日本にとっては厄介な事態となる。こうした偶発的事態を避けるべく、水産庁は漁業従事者以外の尖閣周辺での漁業活動を認めていない。

また、尖閣諸島が立ち入り禁止になっていることにも理由がある。元海上自衛隊呉地方総監の伊藤俊幸氏は、尖閣諸島が無人島であれば、仮に敵に占領されたとしても艦砲射撃でこれを排除することが可能だという。2015年の平和安全法制によってそれは法的にも問題ないのだ。

逆に、もし尖閣諸島に民間人が住んでいたら、まずはこの民間人を救助する必要がある。艦砲射撃よりもミッションの難易度は格段に上昇する。同じことは周辺海域にたくさんの民間船がいても成り立ち得る。だから、水産庁は政治的アピール目的の漁業活動をさせないよう出漁禁止の命令を出しているのだ。

これは中国共産党としてはイマイチだ。漁船が寄って来なければトラブル発生の確率が下がってしまう。

しかし、そこで救世主が現れた。自民党の長尾敬衆院議員だ。彼は2021年2月に尖閣諸島周辺での漁業活動を計画した。もちろん、それは「純粋な漁業活動として認められない」と水産庁から許可されなかった。この件について長尾氏は次のようにインタビューに答えている。

——尖閣諸島海域への出漁を計画したが
「この10年で25回近く石垣の漁師たちの出漁を手伝ってきた。そのうち5回は私も同船した。政治家として現場を体験することは必要なことだ。海警の船に追いかけられる危険も顧みずに漁に出る彼らの信念を目の当たりにし、安心して漁に出られる環境づくりにつなげたいと、政治家として改めて強く思っている」
（中略）
——国会議員が出漁すれば外交問題に発展しかねないとの指摘もある
「それは百も承知だが、批判すべきは領海侵犯を繰り返す中国側の対応だ。その影響で尖閣に出漁する漁業者は激減している。石垣市でも10人に満たないのではないか。彼らまで行かなくなったら、漁業の空白地域になりかねない。そうなれば海上保安庁の巡視船も尖閣に向かわなくなり、結果として海警の船がどんどん侵入してくる」
（https://www.sankei.com/article/20210209-YSJHSNZQLJNEVIGEJHRNHVTMVY/?655575）

「素晴らしい！　そうだその意気だ！」と習近平は手を叩いて喜んだかもしれない。「なるほど、海警に領海侵犯をさせれば、挑発にのった日本の極右活動家が尖閣に押し寄せるのか」と。

ちなみに、長尾議員には応援団もいる。チャンネル桜の水島総氏だ。水島氏はたびたび水産庁を非難する動画を挙げており、2021年2月3日には、「【真相はこうだ！ 桜便り】水産庁電凸！ 尖閣出漁拒否！ しかし尖閣漁業活動を断行する！［R3/2/3］」と題し、延々2時間以上にわたって水産庁の非道を訴えた。

前掲の産経新聞の長尾氏のインタビュー記事によると、すでに今から7年前の2014年ごろから水産庁の出漁許可は厳格化されている。つまり、この話は今に始まったことではない。そして、たびたび蒸し返されているのだ。今年も水島氏は尖閣での漁業活動を断行すると宣言した。習近平にとって頼もしい限りではないか？

ひとたび尖閣で問題が起これば、政府は何らかの対応を迫られる。しかし、時の政権が感染症対策で政治的リソースをすり減らし弱り切っていたら、2010年の漁船衝突事件が再来するかもしれない。あんなことになればよほどの親中派でない限り国民は怒りだすだろう。これに対して左派メディアは弱腰な対応と話し合いによる解決を求める。国論は二分され、政権は左右からの挟み撃ちにあうことになる。

この状況には同盟国のアメリカも呆れるだろう。実際に民主党政権の時の「トラストミー」には本当に呆れていた。日米同盟はあの3年半で本当に危機に瀕した。せっかく安倍政権の8年間で立て直したのに……。

野党に政権を任せている場合ではない

２０２１年秋の衆院選の結果次第では、この8年間の努力が水の泡となるかもしれない。その事態こそが中国共産党にとってはベストシナリオなのである。

武漢肺炎にまつわる様々な生活面の規制に不満が溜まっている人々が、一時の感情に流されて自民党にお灸を据えることを私は恐れている。確かに、自民党にもいろいろな問題があるが、現下の国際情勢を考えると野党に政権を任せている場合ではない。

中国は台湾を取りに来る。そして、台湾を取られたら次に狙われるのは日本だ。日本の政治の混乱は日本のみならず台湾と東アジア全体の安定にも悪い影響を及ぼす。その点をよく理解したうえで、投票日に臨んでほしい。

さて、本章を〆るにあたって、尖閣または台湾で偶発的な軍事力行使の場面がありうることを最後に指摘しておきたい。元東大教授で中国問題に詳しい川島博之氏の著作から一部引用する。

中国外交には、いつでも「秦檜の亡霊」が現れる。秦檜は現実的な政治家で南宋に平和をもたらした。だが、そんな政治家が800年経っても罵倒され続けている。中国人で海外との折衝に当たる際に、秦檜の逸話を思い出さない人はいないだろう。「あいつは秦檜だ」などと噂されれば、左遷される。悪くすると冤罪をでっち上げられて、逮捕されるかもしれない。

中国では、海洋警察の責任者に任命されれば、尖閣諸島の接続水域への侵入をためらってはいけない。躊躇していると、陰で「あいつは秦檜だ」などと言われかねない。だから、前任者が尖閣諸島沖の日本領海に3日に一回侵入していたのなら、自分は2日に一回侵入する。次の担当者は毎日侵入する。どんどんエスカレートすることになる。強硬路線をとっている限り、内部から攻撃されることはないからだ。

（出典：『極東アジアの地政学』川島博之、扶桑社）

今から20年前の2001年4月1日、海南島周辺を飛行していたアメリカ海軍EP-3

E電子偵察機が、スクランブル発進してきた中国海軍J−8Ⅱ戦闘機に急接近され、接触する事故が発生した。この時、中国軍機は墜落し搭乗員は死亡、米軍偵察機は大破して海南島に不時着した。いわゆる海南島事件だ。トップは「中華皇帝の宿命」を背負い、現場は常に「秦檜の亡霊」に怯えるという中国の構造問題が噴出した事件だと言えよう。

同じことが尖閣沖や台湾沖で起こらない保証はない。「秦檜の亡霊」に怯える現場指揮官が、冒険主義的な行動で保身を図るのは十分考えられる。実際に尖閣沖では海警の船がじわじわと強硬路線に傾きつつある。偶発的な武力衝突が起こる可能性は高まっている。

もちろん、その武力衝突はエスカレーションラダーを核戦争まで駆け上がるものではない。あくまでもプロ同士の戦争だ。

国際的な常識として、日本の海上保安庁や中国の海警など沿岸警備隊は準軍事組織だ。しかし、日本の海上保安庁は外国公船との交戦を法律上想定しておらず、武器使用も制限されている。偶発的な衝突でも常に法律の条文を意識し、国際的なプロパガンダに利用されないように慎重に行動する必要があるのだ。ハイブリッド戦争はまさにプロ同士の戦い。素人は足手まといでしかない。

脚注

※1 https://jp.wsj.com/articles/SB12002188021679594161904586442380419169832

※2 https://content.secureworks.com/~/media/Files/JP/Reports/Secureworks-Bronze-Butler-Report.ashx?modified=20180419151034

第4章

中国のハイブリッド戦争・日本防衛へのシナリオ

権威主義体制VS民主主義体制

ここまでロシアや中国によって繰り広げられる最新のハイブリッド戦争について考察してきた。本章ではこの戦争への対処法と予想されるいくつかのシナリオについて語りたい。

そもそも、中露によるハイブリッド戦争は終わるのか? これは非常に難しい問題だ。なぜなら、中露ともにこの戦争は先に西側によって仕掛けられ、自分たちは反撃しているだけだと認識しているからだ。だから、西側からの攻撃がなくなるまで終わらない。「自分たちは受動的に対処しているに過ぎない」というのが彼らの理屈だ。

例えば、第2章で何度か引用した元ウクライナ安全保障会議書記ホルブーリンによれば、ロシアは冷戦後に勢力圏を侵犯され続けてきたという被害者意識をもっているという。ロシアにとってハイブリッド戦争は高度な抑止下における精いっぱいの「地政学的リベンジ」「勢力圏の防衛」なのだ。全く同じことは中国にも言える。

2019年に香港民主化運動が盛り上がると、さっそくその背後にはアメリカがいるという陰謀論が吹聴された。翌年の5月28日にはこの陰謀論に基づいて香港国家安全維持法が成立している。東京新聞は以下のように報じている。

中国政府は米国などが香港での抗議活動を支援し、中国の体制転換をもくろんでいるとみており、国家安全法の成立を急ぐ。

議案は米国などの介入阻止を意識し、「外国勢力が香港を利用して分裂、転覆、浸透、破壊活動を行うことを防ぐ」と明記した。国営新華社は二十四日配信の評論で「西側の反中勢力は今のうちに内政干渉のたくらみを諦めたほうがいい」とすごんだ。米国が昨年十一月に中国に「一国二制度」の厳格な実施を求める香港人権・民主主義法を成立させたことも、同法導入を加速させたとみられる。

(https://www.tokyo-np.co.jp/article/31636)

権威主義国家が自分たちに対する攻撃だと認識するものは、西側諸国の存在そのものに起因している。例えば、香港民主派が中国政府に求めた5大要求は以下の通りだ。

（1）逃亡犯条例改正案の完全撤回
（2）デモを「暴動」と認定した香港政府見解の取り消し
（3）警察の暴力に関する独立調査委員会の設置
（4）拘束・逮捕されたデモ参加者らの釈放
（5）行政長官選や立法会選での普通選挙の実現

（1）は「法の適正な手続き（デュープロセス）」のない国で裁判を受けることになれば重大な人権侵害につながるからやめてほしいという当たり前の話だ。（2）と（3）は市民に行き過ぎた暴力を振るう警察を抑えてほしいということだし、（4）はその警察によって不当に拘束された市民は釈放されるべきだという当たり前の主張だ。（5）に至っては民主主義の国なら当然の話であり、一体何が問題なのか分からない。

ところが、これらの要求は中国共産党にとっては恐怖でしかない。香港がこのような要求をするのは、自由で開かれた社会を持つ民主国家が存在することが原因だ。民主化運動を何度潰そうとも、これらが存在する限り、市民は再び「操られ」て何度も立ち上がるだろう。つまり、全世界の民主主義国家群（いわゆる西側諸国）を滅ぼすか、それらすべてを自分たちと同じ権威主義的な強権体制に変えない限り、中国の戦いは終わらない。ロシアも北朝鮮もイランも、世界中の権威主義国家はおそらく同じことを考えているだろう。逆に言えば、彼らがその目的を達成するまでハイブリッド戦争は終わらない。これが1つの結末のシナリオだ。

裏を返せば、中国やロシアのような国を亡ぼすか、その権威主義国家体制を終わらせればハイブリッド戦争は終わるかもしれない。これはもう1つ別の結末のシナリオである。権威主義体制が勝つのか、民主主義体制が勝つのか？ 銃弾やミサイルは飛び交っていないが、世界はいま戦争状態にあると認識しておこう。

アメリカ政府もそう認識している。トランプ政権時代の2018年の1月下旬に公表した「国防戦略 2018（NDS-2018）」の中で、現在の国際情勢は「Great Power Competition（大国間角逐、競合）」であると述べた。中国、ロシアからの執拗なサイバー攻撃やスパイによる情報窃取などを念頭に置き、2001年来続けてきたテロとの戦いから、中露など大国と張り合う方向への戦略シフトを明言したのだ。

そして、この方針はバイデン政権にも引き継がれている。もちろんその競合には分野や領域によって濃淡があり、激しく武力を伴うもの、非軍事手段だけでやるもの、非軍事的手段のなかでもサイバー攻撃に限定してやるものなど、様々なバリエーションがある。

アメリカからしてみれば、これは中国やロシアから仕掛けられたハイブリッド戦争に対する受動的な対応だ。ところが、中国やロシアの受け止め方は正反対である。彼らはこう思ったに違いない。「やはりアメリカが既に攻撃を仕掛けてきている！　我々はそれを抑止するために戦わねばならない」と。

「人民は中国共産党に感謝している！」

前章で取り上げた習近平の演説、政府発表の白書、外務省の報道官のコメントなどを思い出してほしい。中国の被害者意識と「これは反撃である」という主張が全面に表れている。この姿勢は中国のみならず、ロシアにも共通するところだ。

アメリカをはじめとした西側諸国が中国やロシアに求めていることは、香港民主派の5大要求と大して変わらない。自由と人権を守ること、民主的な選挙をして代表を選ぶこと、国際秩序の抜け道を突くような侵略行為を止めることといった当たり前のルールだ。これを守ったからといって国が亡びるとは思えない。それなのに、なぜ彼らはルールを守れないか？

理由は簡単である。中国の場合、それは中国共産党による一党独裁が原因だ。すべてをコントロールすることで、中国共産党は儲けている。10億人の市場にアクセスしたい西側企業から金を巻き上げ、私腹を肥やす。これはまさに飯のタネなのだ。少し外国にクレームをつけられたぐらいで手放すはずはない。

前章で見てきた中国政府および共産党の公式見解を総合すると、「そもそも、人民はこの制度に納得していて、中国共産党に感謝しているではないか！　経済面でも軍事面でも中国に追い越されそうになったアメリカは、卑怯にも民主主義という大義名分で中国を弱体化させようとしているに違いない！」ということになる。

もちろん、この言い分は我々から見れば噴飯ものだ。彼らは何を根拠に人民が一党独裁を支持しているというのか？　その根拠になる普通選挙が実施されてないではないか。

ところが、習近平をはじめとした共産党の幹部たちは自分たちが人民から支持されていると信じて疑わない。一体何を根拠に？

実は、これこそが権威主義体制の最大の弱点なのだ。以下、この点について詳しく考察しておこう。東京大学先端科学技術研究センター特任助教の小泉悠氏は、私の主催する八重洲イブニングラボの講演会で次のように語っている。

最近、香港の件とか、中国は「あれはアメリカが裏から操っている」と言ってるじゃないですか。雨傘運動とか。で、ロシアも、「ナワリヌイはアメリカから金をもらっている裏切り者だ」という言い方をするわけですね。

さらに面白いのは、最近、中露の外務省とかが、お互いにそういうことを言い合うんですよ。ロシアの外務省が香港の件に関しては「これは西側の煽動がある」みたいなことを言う。多分、これって、そこは外務省の役人同士はもう少し冷静なので、お互いリップサービスで言っているんでしょうけど、ユーラシアの権威主義大国のリーダー同士って、何か密室の場でこういう話をしているんじゃないかと思うんですね。

たとえば、旧ソ連のサミットがあったときに、プーチンとルカシェンコとナザルバエフとラフモンとかいうのは皆ロシア語が通じるわけで、夜、酒か何か飲みながらそういう話をしているんじゃないかと思うんです。そうすると、我々から見ると完全に陰謀論なんだけど、プーチンの目から見ると、「だって皆そう言ってるもん、うちの国もやられてるって言ってるし、情報機関からもそういうレポートが上がって来るし、何か習近平もそうらしいよ」みたいな。「やっぱ俺らアメリカにやられてるんじゃん」という感覚が、人間関係としては狭い5人ぐらいのサークルの中ではその話でもちきりみたいな、「え、お前のところも？」みたいな話が多分出来ているんじゃないかと思うんですね。

よく最近情報戦に関してエコーチェンバーという言葉が使われて、Facebookなんかで極左的な人のコミュニティに極左的な情報を投げ込んでやると皆がそれに反応して。その人の観測する範囲から言うと、友達のナントカさんも、ナントカさんも、ナントカさんも皆同じことを言っている、大体世の中はそうなんだと見えるんだけど、実は狭いコミュニティの中でガンガン反響し合っているだけじゃないですか。私はちゃんと調べたんだと言うんですけど、結局身の回りの狭い範囲しか調べてないみたいなことですね。

多分それが指導者の中でも起こっているんじゃないかという気がするんです。反ワクチンの陰謀論はロシアが自分で撒いたのに、いまは自分で信じているのと同じで、プーチンの周りがエコーチェンバーになってしまっている。皮肉ですね。だから情報戦って自家中毒するんですよ。

〈出典：八重洲イブニングラボ第91回講演会〈2021年6月7日〉オーディオブック〉

「中国のゴルバチョフ」の誕生へ注力！

情報戦は自家中毒する。これは権威主義体制の弱点を射抜く名言だ。小泉氏の指摘の通り、ロシアと中国は情報のマッチポンプで国家レベルのエコーチェンバーを形成している。ロシア国営メディアと中国のメディアがお互いに引用し合いながら陰謀論を盛り上げていた事実をウォール・ストリート・ジャーナルが報じている。

ロシアの国営メディアは、香港の民主化デモを米国の陰謀と伝え始めた。かつて国内などで同様のデモが起きた時も同じような報じ方をしていた。

今回の報道は、ここ数年でモスクワとウクライナの首都キエフで発生した民主化運動はロシア政府の弱体化を狙った西側諸国の陰謀とする同政府の主張を反映したものだ。

9月29日に香港の民主化デモが世界中のマスコミに大きく取り上げられる中で、ロシア国営テレビの第1チャンネルは主なニュース番組でこれを伝えなかった。同じく国営テレビのＮＴＶも簡単に報じただけだった。

だが翌30日になって各国営テレビは、香港のデモ参加者はキエフにいる者と同じく米国が画策した暴動の請負人だと報じている。

ロシア24のアンカーは香港の民主化運動に関するコーナーで、「中国メディアによると、デモの指導者たちは米情報機関から特別な訓練を受けた」と述べた。

(https://jp.wsj.com/articles/SB11426559292233444529604580187242706662972)


まさに自家中毒状態だ。国全体が陰謀論の巨大なエコーチェンバーにいることにリスクはないのだろうか？　陰謀論で歪んだ情報が国の政策決定において参照されるようなことになったら大変だ。実は、中国国内からもこれを問題視する声はあった。

中国国内の経済を専門とする複数の国内シンクタンクの研究員は、習近平派が多数を占めることによる独裁リスクを２０１７年ごろから指摘していたようだ。すなわち、中国国内では、客観的で正当な意見が通らず、誤りであっても政権に忖度した意見が採用されやすい状況が続いているというのだ。

そうした論調の学者（習派）が社会科学院や国務院発展研究センターの要職を占め始め、

李克強派を排除している。この状況が長引くと、学者たちは更迭を恐れて耳当たりのよい政策提案しかできなくなる。結果として正しい政策決定はできなくなってしまう。

この話が出てからすでに3年以上が経過した。そして、そのリスクは顕在化したと言っていいのではないか？　その証拠が、先の党創設百年式典での習近平による宣伝色満載のスピーチだ。党の功績ばかり強調する一方で、罪（経済格差、金融リスク、少子高齢化社会等）の部分には触れなかった。

習近平は「核心」「勲章」「3期目確実」と繰り返すばかり。それでも、誰も逆らえない流れとなっている。最近の国安法による締め付け強化、経済の統制強化といった政策決定も、客観性を欠いているのは明白だ。この点について、２０２１年6月28日の読売新聞も次のように報じている。

習氏への権力集中が進むにつれ、「周囲が耳に心地良い情報ばかりを選んで報告するようになった」と、「忖度」の横行を指摘する北京の体制内の学者もいた。

複数の関係者によると、米政府は最近、習氏にどれだけ正確な情勢報告が行われているのか、複数の情報を流して試した。その結果は、「悪い情報はほとんど伝わっていない」だった。

習氏には今、後継者だけでなく、直言する人物も見当たらない。中台統一を悲願とする習氏が、情勢を正しく判断できず、台湾への武力侵攻を強行しかねない――。米政府内にはそうした懸念もあるという。

「国家の命運を1人、2人の声望の上に築くのは、非常に不健全で、とても危険だ」

過去の反省をふまえ、鄧（小平　※筆者注）が1989年に語ったこの言葉は、党創設80年の2001年に出版された「中国共産党簡史」に収録された。しかし、今年2月出版の新版「簡史」からは消えた。

（https://www.yomiuri.co.jp/world/20210628-OYT1T50017/）

「プーチンは確かにメディアを支配したが、大事なことは、プーチンもまた視聴者だということだ」とロシアの政治学者マカルイチェフは言った。全く同じことが習近平にも当てはまる。2017年以降、むしろ習近平のエコーチェンバーは強化されている。自分に都合のいい情報しか聞かされていない。

そんな習近平は、無謀にも台湾への武力行使を決断するかもしれない。そして、「秦檜の呪い」を恐れる部下たちは全力でその誤った目標を達成しようと行動を開始する。非常に危険だ。

しかし、それは同時に中国共産党にとって極めてリスクの高い行為だ。なぜなら、歴代の中華皇帝は対外戦争に勝てなかった時点でメンツが潰れ、各地で反乱がおこりその王朝は滅ぼされてしまったからだ。元寇に失敗した元朝、朝鮮出兵で日本軍に大敗した明朝、日清戦争で惨敗した清朝。次は台湾侵攻に失敗した中華人民共和国の番かもしれない。

特に、日本が関わるときは要注意だ。日本にはほんの少し負けただけでも中華皇帝のメンツはなぜか大いに傷つくようだ。実際に、先ほど挙げた例ではすべて日本が王朝の滅びるキッカケを作っている。令和の台湾侵攻においても、空母遼寧を海上自衛隊の潜水艦が撃沈したらその時点でゲームオーバーになるかもしれない。中国海軍は空母遼寧を守り切れるのか?

普通に考えれば台湾侵攻は習近平がすべての政治的リソースを投入して性急に行うメリットがない。鄧小平が平和統一を掲げ、事実上武力行使を放棄したのは、極めてリアリストらしい選択だった。日本とアメリカが弱体化するまで、100年でも200年でも待てばいいと考えていたのだろう。ところが、習近平は待てなかった。そして、台湾統一という綸言を出してしまった。

ここまでの解説で、日本にハイブリッド戦争を仕掛ける中国の弱点がある程度つかめたであろうか？「中華皇帝の宿命」と「秦檜の呪い」、さらにエコーチェンバーと化す権威主義体制など、日本がハイブリッド戦争を有利に運ぶための材料が満載だ。まずは状況を正しく把握しよう。

繰り返すが、日米が台湾に強くコミットし続ける限り、中国の武力行使は必ず失敗する。日本に軍艦を一隻でも沈められれば、中華皇帝のメンツは丸潰れ。一党独裁が即座に終焉することはなくても、中国共産党内部で権力交代が起こる可能性は極めて高い。そして、習近平の次に国家主席になる人間は、「中国のゴルバチョフ」になるかもしれない。

一般的にトップが交代すると、前任者の政策は180度ひっくり返されることが多い。毛沢東の引き締めを鄧小平が緩和し、鄧小平の緩和を習近平が再び引き締めたように、習近平の引き締めは新しい権力者によって緩和されるだろう。

しかし、この権力者は「秦檜の呪い」と戦わざるを得ない。台湾侵攻失敗の後始末は、アヘン戦争と同列に論じられる可能性がある。リアリズム的な発想で西側と妥協することは、国を裏切ることと同じなのだ。中華皇帝が裏切り者認定されるとき、中国では易姓革命が起こる。私が「中国のゴルバチョフ」が誕生するかもしれないと考える理由はこれだ。日米が対中ハイブリッド戦争に勝利する条件は「中国のゴルバチョフ」の誕生を促進することにある。そのためには、習近平を権力の座から引きずり下ろさなければならない。

裏を返せば、ターゲットは習近平とその取り巻きだけである。中国そのものも、中国人民も敵ではないし、誤解を恐れずにいえば中国共産党ですらその大部分は敵ではない。李克強などにはむしろ点数を稼がせてやることで、習近平に対する間接的な攻撃とするべきだ。

「習近平の共産党」を包囲し滅ぼす

さて、状況は分かった。権威主義国家の弱点も理解したし、ターゲットの絞り込みの重要性も十分に頭に入れた。しかし、ここで大きな問題に直面する。日本が単独でこのハイブリッド戦争を戦わねばならないのか？　それとも、アメリカと組んで戦うべきか？

答えはそのいずれでもない。日本単独でも、日米同盟でもなく、自由で開かれた社会の理念を共有する全世界の国々が、中国（より正確に言えば「習近平の共産党」）を包囲し滅ぼすのだ。そして、そのための戦略はすでに練られているのである。

2021年1月末、米シンクタンクのアトランティックカウンシルが公表した長文の匿名論文が注目を集めている。この論文は「より長い電報（通称：新X論文）」と呼ばれ、その名はかつて『フォーリン・アフェアーズ』（1947年7月号）に寄稿されたソ連封じ込めを説く匿名論文「長文電報（通称：X論文）」に由来する。私が先ほど言及した、「敵を習近平とその仲間に絞り込む」という戦略はこの新X論文の内容を紹介したにすぎない。

日経新聞は次のように報じている。

（新X論文が）内外で注目を集めたのが、中国共産党のトップである習近平（シー・ジンピン）の排除を唱えた点だ。習の政策や指導スタイルへの不満から「中国共産党は激しく分断されているのが現実だ」と論文は指摘。「中国共産党をむやみに攻撃するのは致命的な誤り」として体制転換を求めるのは「党を結束させることになる」と断じた。そのうえで「公の場での言葉や作戦で焦点をあてるのは『習近平の共産党』にしなければいけない」と主張し、国家主席の任期を廃して終身独裁を視野に入れる習の排除に的を絞るよう提唱した。

(https://www.nikkei.com/article/DGXZQOGN253360V20C21A3000000/)

現在のバイデン政権は概ねこの新X論文に沿った対中政策を展開している。日本が対中ハイブリッド戦争を戦い抜くために、その内容を知るのはとても重要だ。アメリカのニュースサイト「ポリティコ」に新X論文の原文とサマリーがあるので、それを一部翻訳しながら解説する。(Opinion | To Counter China's Rise, the U.S. Should Focus on Xi [https://politi.co/3cgSkWP])

新X論文によると、アメリカの戦略は「4つの基本的な柱」に基づく必要があるという。その4つとは、

①軍事力:インド太平洋地域における現在の米軍の兵力レベルを維持、地域全体の強固な抑止力を確保するための軍事ドクトリン、プラットフォーム、能力を近代化

②経済力:世界的な基軸通貨としてのドルの役割、国際金融システムの主力としてのドルの役割

③技術力：世界的な技術的リーダーシップの継続
④価値観：最近の政治的分裂や困難にもかかわらず、個人の自由、公正、法の支配

そして、この柱を使って以下4つの勝利条件をクリアすればアメリカの勝ちが確定する。

勝利条件
①世紀半ばまでに、米国とその主要な同盟国が、地域的、世界的なパワーバランスをすべての主要な力の指標で支配し続けていること
②中国が台湾を軍事的に奪うことが抑止されていること
③習近平がより穏健な党の指導者に取って代わられたこと
④中国人民自身が、中国の古代文明は永遠に権威主義的な未来へと運命づけられているという共産党の100年にわたる命題に疑問を持ち、挑戦するようになったこと

まとめると、「①アメリカが超大国としての地位にとどまり続け、②台湾が奪われず、③習近平が権力の座から引きずり下ろされ、④中国人民が権威主義体制への疑問を持つこ

と」、これが勝利条件だ。そして、大事なことはこの4つの条件のうち2つに日本が深くかかわっている点だ。特に、①と②の条件達成には、日本の協力が不可欠である。主要な同盟国の中で最もGDPが大きく、地理上の重要な場所にあり、治安が良く、民主主義の価値観を共有している国は日本だ。

日本の基地なくして米軍は全世界に戦力投射できない。戦力投射なくして、アメリカの覇権はあり得ず、そして世界の平和もあり得ない。それほど日本の役割は大きい。仮にアメリカが描いた大戦略であっても、日本の国益にかなっているなら乗るべきだ。

後述するが、この大戦略はクアッド（日米豪印）の役割を高く評価し、それを取り入れている。もともとそのアイデアを描いたのは誰あろう安倍晋三前総理大臣である。そういう意味で、新X論文を外国が勝手に決めた世界戦略だと決めつけるのはとても乱暴な議論だ。

それほど、アメリカの世界戦略における日本の役割は重要だ。それゆえ、日本はアメリカの安全保障アーキテクチャにおいて応分の負担をする必要がある。それが世界平和の鍵を握っていると言っても過言ではない。日本人である我々もぜひこの点は共有し、「アメリカの言いなり」「対米自立、自主防衛」といった感情を煽る言説に惑わされないよう気を付けておきたい。

ロシアを自陣に引き込む

さて、対中戦略の全体像を把握したところで、個別の問題について掘り下げていこう。まずは軍事面だ。最も重要なのは高度な抑止体制の構築である。抑止が働かなくなれば、中国は何の迷いもなく台湾を、そして沖縄を奪いに来る。この点について、新X論文の該当箇所を翻訳する。

これらの対中戦略的競争分野には、インド太平洋地域における現在の米軍の兵力レベルを維持すること（そうしなければ、中国は米国が同盟の約束から後退し始めたと結論づけることになるからである）と同時に、地域全体の強固な抑止力を確保するための軍事ドクトリン、プラットフォーム、能力を近代化することが含まれるべきである。

また、このリストには、ロシアとの関係を安定化させ、日本とロシアの間で同様のことを奨励すること、インドがそのような取り決めに対して政治的・戦略的かつ最終的に留保していたことを放棄するように誘導することで、インド、日本、オーストラリアとの間で完全に運用可能な四辺形安全保障対話を締結すること、そして、韓国が戦略的に中国の方向に漂流し続けることを防ぐために、日韓関係の正常化を促進することも含まれている。

（出典：Defining America's Areas of Strategic Competition—and Cooperation［https://politi.co/3cgSkWP］）

新X論文は、アメリカの戦力を維持し、同盟国との関係を強化し、戦闘能力をアップデートせよという。そして、いまは敵対しているロシアと融和すべきで、それは米露2国間だけではなく、アメリカの同盟国もそうすべきだ。米ソ冷戦の時、ソ連から中国を引き剝がして対立させたのと同様に、今回はロシアを自陣に引き込み中国を孤立させようというわけだ。

次に大事な部分は「インド、日本、オーストラリアとの間で完全に運用可能な四辺形安全保障対話を締結すること」だ。現在、これら四か国はクアッドという準軍事同盟を形成している。私は、新X論文に従えばクアッドをNATOのような条約機構レベルまでこれを高める必要があるのかと思っていた。

この点について私はクアッドの事実上の発案者である安倍晋三氏に直接お話を伺った。安倍氏曰く、それはあまり急がなくても良いそうだ。なぜなら、条約機構となると、それを維持するためのコストが非常に高い。現時点ではむしろハードルを上げすぎずに、この関係が長く続けることに専念すべきとの回答が返ってきた。

確かに、現行のクアッドの枠組みでも、南シナ海に「連合艦隊」を派遣し、航行の自由作戦を遂行できる。今のところはそれで「完全に運用可能な四辺形安全保障対話」という条件を十分に満たしているそうだ。

この他にも、新X論文は日韓関係について「韓国が戦略的に中国の方向に漂流し続けることを防ぐために、日韓関係の正常化を促進」すべきだと述べている。現在、国際法を一方的に破って日本を非難し続けているのは韓国の方だが、バイデン政権はこの点を十分に理解していると元日経新聞記者の鈴置高史氏は指摘する。

韓国は元慰安婦、自称・徴用工を問題化して日本と摩擦を引き起こし、それを理由に日米韓の安保協力を拒んできました。しかし、同盟強化を図るバイデン政権は、歴史を言い訳に同盟を壊す茶番劇はやめろと、就任早々から韓国を叱ったのです。

ことに慰安婦問題はB・オバマ（Barack Obama）政権当時、副大統領だったバイデン氏が日韓合意の保証人になって解決を図った経緯があります。

安倍晋三首相と朴槿恵（パク・クネ）大統領が交わした慰安婦合意を、文在寅大統領はいとも簡単に反故にした。そのうえ、「徴用工」にも対日戦線を広げました。顔に泥を塗られたバイデン大統領が「いい加減にしろ」と怒り出すのも当然です。

怒りの激しさは「パートナーとしての韓国に対する期待を放棄しうる」との表現からうかがえます。外交的な修辞にくるんでいますが、要は「日本との関係を改善しないと、同盟を打ち切るぞ」と言い放ったのですから。

（https://www.dailyshincho.jp/article/2021/02150603/?all=1）

韓国の歴代大統領が支持率を上げるために度々使う反日カードは、日米韓の同盟関係に楔を打ち込むのに効果があり、中国にとっては好むべきものだ。これまでアメリカは日本側に譲歩を迫ることが多かったが、いくら日本が譲歩しても韓国側がたびたび約束を破り、問題を蒸し返していることは近年アメリカ側も認識するようになった。

なぜなら、バイデン氏は副大統領時代に、日韓合意をまとめ上げた張本人だからである。自身の政治的レガシーとしてアピールしていた日韓合意。「完全かつ不可逆的に」解決したはずの問題が、文在寅大統領によって反故にされてはたまらない。

鈴置氏の指摘するように、アメリカの韓国に対する態度が厳しい理由はそこにある。2022年の韓国大統領選挙で選出される新大統領は国際的な約束を守れるのか？　これは対中包囲網に少なからず影響を与えると思われる。

中国の「日本人を挑発、激高させる」思惑

中国からのハイブリッド戦争を戦い抜くための戦略についてここで一度まとめておきたい。日中ハイブリッド戦争は日中間の枠組みでとらえてはいけない。日本が持ち込むべき構図は全世界vs中国だ。まず日米同盟が中核となり価値観を同じくする諸国と世界的な対中包囲網を構築する。そして中国の脅威がなくなるまでそれを維持する。当面の目標は習近平の首だ。

中国経済は下り坂で、少子高齢化も急激なスピードで進行している。残された時間は少

ない。しかし、そういった都合の悪い情報は側近たちが忖度し、習近平に上げないだろう。そのせいか、習近平は実力を過信し台湾統一に向けたコミットメントを強化してしまった。

しかし、準備不足のまま無理に軍事侵攻すれば、日米両軍に手痛いダメージを食らうのはほぼ確実だ。これではメンツ丸つぶれである。逆に、台湾統一と宣言したのに、何もできなかったらそれもまたメンツ丸つぶれだ。

日本は、日米同盟を軸として対中包囲網の「世界戦略」を進めればいい。このまま現状を維持しているだけでも、習近平はメンツの問題に直面するからだ。

しかし、中国はこの包囲網を突破しようと悪あがきをするだろう。特に、中国からみれば日本を含む民主主義の国は隙だらけだ。そもそも、定期的に選挙がある。サイバー攻撃や影響力工作で選挙に介入し、中国に歯向かう政治家や政党の力を削ぎ、そうでない者に力を与えるチャンスだ。そのチャンスが、いま目の前にある。日本の衆院選だ。

この選挙期間中に、日本人を徹底的に挑発し、激高させ、正常な判断力を奪い取ればいい。そのための具体的な方法については前章でいくつか言及した通りだ。いま危機は目の前にある。

なぜ中国の影響力工作が成功するかといえば、日本にはテレビを見る人、新聞を読む人が存在しているからだ。日本のメディアは左巻きのバイアスがかかっており、その情報は歪んでいる。その報道に知らず知らずのうちに影響を受け、対中包囲網をアメリカの先制攻撃だという中国共産党のロジックを受け入れてしまうかもしれない。

最近ではこれに加えてネットで情報を得る人も厄介な存在となっている。SNSの発達でネット上のエコーチェンバーは形成されやすい。SNSタイムライン上には、その人の指向性に合った投稿が選択的に並べられている。これはAmazonなどのECサイトが買い物の履歴を分析し、その人が次に買いそうな商品を表示するのと同じだ。

SNSにかじりついてタイムラインに流れてくるものばかり拾っていると、結果としてはテレビを見たり、新聞を読んだりして洗脳されるのと同じことが起こる。第1章で詳しく取り上げた米大統領選挙を巡る陰謀論にハマった人たちはまさにこれだ。

100%、常に正しいことを言う人は存在しない

このような話をすると、「では一体何を信じたらいいんですか?」という質問をしてく

る人が必ずいる。実はこの問いの立て方自体が大きな間違いなのだ。

テレビも新聞もインターネットも流れてくる情報には本当とウソが混ざっている。あの朝日新聞でさえまともなロシア情勢の分析記事が掲載されることもあるし、マスコミのウソを暴いていた某インフルエンサーが突然陰謀論にハマってデタラメを言うこともある。100%本当のことを言う人もいなければ、100%ウソをつく人もいない。

だから、少なくとも「○○に書いてあった」とか、「○○さんが言った」ということを根拠にしてその情報の真偽を判断することはやめるべきだ。新華社通信ですら、事実を書いている時もある。すべてをウソだと認定すれば逆に簡単に操られてしまうだろう。その人が「誰」であるかではなく、その人が「何」を言っているかが問題なのだ。

では、真偽を検証するにはどうすればいいのか？　幸いなことに、日本のような自由で開かれた社会には言論の自由がある。そして、自由な議論ができる。これを大いに活用しよう。議論をすることで、一人で判断するよりもずっと正確にその情報の真偽を判定できるからだ。本来、SNSとはそういうツールであるべきだ。

ところが、現在SNSは議論の場というよりも、情報工作の場と化しているのではないだろうか。匿名の一般人の中にごく一部だが誹謗中傷などの言論テロ行為に勤しむ不届きな連中がいる。一部のインフルエンサーは自分にとって都合の悪い識者を排除するために、そういったテロリストを煽って操作する。議論すれば負けるから、場外乱闘で相手の口を塞ごうというわけだ。

米大統領選挙にまつわる陰謀論は、SNSの悪い意味での影響力を世に知らしめた。あの時形成されたエコーチェンバーは再び利用される可能性があり、大変危険だ。

とはいえ、この騒動から学んだ人も数多くいたのも事実だ。その代表はタレントの高知東生氏である。彼は陰謀論から生還した自分を振り返って以下のようにツイートしている。

結局、俺が陰謀論を信じかけたのって自信のなさから起きたんだろうな。強く断言してくれる人に惹かれたり、そんな情報にたどり着ける自分は大丈夫だ！と間違った優越感にしがみつきたかったんだと思う。今回幸運だったのは、俺は浅はかにもそのにわか知識をひけらかしたくなって仲間に話したこと！

そしたら仲間が笑いだして「そうやってハマるんだよね」と言って関連動画の仕組みを教えてくれた。試しに車の動画を見たら本当に今や車関連ばかり出てくるんだよ！

これ俺がひけらかしたにわか知識を否定されてたらムキになってたかも。自分の目で確かめられる様に伝えてくれたのが有難かった。

ちなみにSNSも同じ考えの人が集まって見えるんだってな。怖いなぁ。「俺は何も知らないんだ！」ってこと謙虚に言い聞かせて生きていこうと思ってる。すぐ調子にのっちゃうから。こんなこと今さら知ったのか！　と多数の人からツッコミが入るだろうけど、今さら知った56歳。恥を忍んで告白します。

(https://twitter.com/noborutakachi/status/1356607160831123464)

陰謀論を吹聴するインフルエンサーは善悪二元論のような単純な話ですべてを言い切ってしまう。トランプが善で、バイデンが悪といった具合だ。こういうハッキリした態度を取られると、それに気圧されて信じてしまう人が多い。特に、迷いが生じている人ほど、断言してくれる人の言うことを信じてしまう傾向がある。

これに対してその道の専門家は様々な状況、条件を加味して慎重な物言いしかしない。迷っている人にとってはそれが自信なさげに見え、もどかしさを感じてしまう。「分かった！」「そうだったのか！」と目覚めさせてくれないからだ。

しかし、断言するインフルエンサーに根拠があるかどうかは疑わしい。繰り返しになるが、「誰」が言ってるのかではなく、「何」を言っているのかをしっかり検証せねばダメだ。高知さんはそのことにご自身で気づかれた。素晴らしいことだと思う。

中国は反省が甘い人を巧みについてくる

誤った情報に踊らされたことを自覚して反省している人は、次に似たような工作を仕掛けられたとしても慎重に行動するようになるだろう。しかし、反省が足らない人はまた同じ工作に引っかかってしまうかもしれない。例えば、米大統領選挙の件で私を以下のように批判してきた一般ユーザーがいる。

――

上念　おまえはどっちの味方だ！　笑い飛ばすなよ　「西太平洋がチャイナ支配下になるかも」なんだぞ！（2020年11月8日）

――

半年以上経ってこの騒動が落ち着いてから、私はこの方に以下のような質問をしてみた。

――ちょっと取材させてもらっていいですか？「西太平洋がチャイナの支配下に」というのは、バイデン政権の対中政策が軟弱だという予想に基づいていると思います。現在でもそのようにお考えですか？（2021年6月23日）

――彼の答えは以下のようなものだった。

――不可思議です

バイデン氏の現在はCHINAと裏取引があるのではと思うくらい、CHINAを敵視し包囲網を構築しています、全く信じられないのですが、習近平の希望通りにしていません、トランプ氏が出来ないようにレールを敷いていったのか、バイデン氏の意思で実行しているのか不明ですが(｀)（2021年6月23日）

――

「西太平洋がチャイナの支配下に」なっていないという事実は認識されているようだ。しかも、バイデン政権の対中政策をある程度評価している。高知さんほど明示的に反省してはいないが、事実を受け入れている点は評価できる。とはいえ、「バイデン氏の意思で実行しているのか不明」という部分はいただけない。アメリカは中国のような政治体制ではないので、大統領一人が政策決定を行うわけではない。議会や世論も政策を動かすという点を理解しておくべきだ。

この他にも、11月8日に「最終的にはトランプ大統領が勝つと思います。」と私にリプライを送った別の一般ユーザーがいた。私が今でもトランプ当選を信じるのか質問してみたところ、回答は以下の通りだった。

――

上念さん　私は今からだと2020年の選挙でのトランプ大統領の逆転は厳しいとみています。理由は民主党とその一味が接戦州の監査を妨害しているからです（チャイナが武漢P4研究所やウイグルでの監査を妨害しているのと手口が似ているような気がします）。

――

「民主党が監査を妨害しているので」との留保を付けているが、選挙結果は覆らないことは認めたようだ。とはいえ、選挙違反と不正選挙の違いについてはまだ認識が甘い。アメリカの裁判所は選挙違反があったとしても投票結果を動かすようなものはなかったと認定している。裁判所の判断がDSによって歪められているという言説をいまだに信じているとしたら、再びここに火を付けられる可能性がある。やはり、高知さんのようにしっかり反省してそれを公表した人と違い、反省が甘い人には弱みが残る。中国はそこを巧みについてくることを忘れてはならない。

100％常に正しいことを言う人は存在しない。細かな言い間違いも含めて、人間はミスをする。問題はそのミスを自覚した時、反省して訂正できるかどうかだ。敢えて中国の『論語』の言葉を引用しよう。過ちて改めざる、是を過ちという。

シドニー・パウエル弁護士を礼賛し、トランプ当選は確実とあれだけ発信していた某インフルエンサーが、突如として陰謀論を語らなくなり過去に蓋をして逃亡している。そういう人はいずれまた過ちを犯すだろう。

しかし、そんな人にも言論の自由がある。大いに陰謀論を吹聴して、ニコ生の有料登録者でも稼げばいい。それも職業選択の自由である。

陰謀論から帰還した「防人」が日本の強み

とはいえ、私にも言論の自由がある。このようなビジネスモデルを糾弾し、過去に過ちを犯して反省しない人に、その思い出したくもない過去を突き付けるのもまた自由だ。私がそうする理由は本書で繰り返し述べてきたとおり、日本がハイブリッド戦争で敗北しないようにするためである。

ハイブリッド戦争の最前線は我々の脳内であり、敵はその脳内でノイズを増幅させる「情報ウイルス」をバラまく。それに対する免疫は自分で獲得するしかない。

高知さんのように、過去をしっかり反省し、陰謀論から帰還した人はハイブリッド戦争時代における最強の「防人」になり得る。陰謀論からの帰還者は、この情報ウイルスに対して、強い耐性、免疫を持っているからだ（もちろん、本書がその免疫を獲得するためのワクチンになれば作者として幸甚の極みだが）。

かつて陰謀論に嵌った人で、まだその総括が済んでいない人は、今からでも遅くないのでしっかり反省することをお勧めしたい。過去の自分の過ちを振り返ることで、免疫が付き、その反省が日本を守る。そして、ぜひ「防人」としてこの戦いに加わってほしいと思う。

実はこの「防人」の存在こそが日本の強みだ。権威主義国家の国民は家族や親戚を人質に取られ無理やりスパイに仕立て上げられることが多い。強制的にスパイを働かされている人は、隙を見てサボり始める。習近平のメンツが潰れたら、こういう人たちはもう何も言うことを聞かない。

日本の「防人」たちは菅総理に命令されて活動しているわけではない。各自が独自の判断で自分の意思で行動している。権威主義国家が、自由で開かれた社会に恐怖する理由はこれかもしれない。

では、ここでもう一つ勇気ある一般ユーザーの告白を紹介したい。この方は陰謀論にまんまとハマってかつては私を誹謗中傷していた人だ。しかし、ある時それが大きな間違いだと気づき道を引き返した。彼が偉かったのは、その反省のプロセスをツイッターで発表し、同じような状況にいる他の人々に注意を促したことだ。２０２１年6月24日に連続でツイートされた反省文から抜粋して引用する。

陰謀論から抜け出せた話を聞いてみたいと言う需要があるみたいなので、書いてみたいと思います。がっかりさせてしまうかと思いますが、説得されて抜け出せたのではないのでそこを期待されると申し訳ないです。

陰謀論から抜け出せたのは、自分が「世間から孤立している」ことに気づいたからです。なぜ気づいたのか。信じた事が何一つ起こらなかったからです。（中略）

１／20にトランプさん自身が最後の演説をした後も、３／４が来ればみんな掌返すからと信じて待ってました。フォローしてる人達やリストに登録してた人「みんな」が同じ気持ちです。今は好きな事言わせておけばよい「絶対」に変わるんだから。疑いの余地なんてありません。待ちに待った３／４を迎えます。（中略）

家族には世界が変わった瞬間に「実は知ってたんだ」って言おうとずっと我慢してま

した。「周りはこんな事を誰も言ってない」から驚かせるだろうし、ネットに書いてある事を自分で考えた意見であるかのように話してこっぴどく叱られた事あるし。

いつまで待っても何も起こりませんでした。あー、またやってしまった。ネットに書いてる事疑う事なく信じてしまってました。以前こっぴどく叱られた経験がなければ、本当の事なんだけどって話してたと思います。

ネットに書いてある事を検証もせず、まるで自分で考えた意見であるかのように言うのは罪深い事です。真実であろうと嘘であろうが関係ないんです。まるで「自分が見たり経験した」かのように「自分の意見」として取り入れてしまう事に問題があるんです。

普段思った事をツイートしてもいいねもらえる事そんなにないのに、トランプさんの事をツイート、リツイートするとイイねがたくさんつきました。簡単につきます。急に自分が評価されたような気になりました。誰かが言ってた事をなぞるだけで、味方がたくさんいる。どんどん麻痺していきました。

フォロー、フォロワーさん。リストに追加した人みんな同じ意見を言う人たち。自分の信じる意見に反対意見を言う人たちは全部ブロックしてた。信じてる人があの人は悪人だと言ったら、自分の目で確認もせず悪い人だとブロックしたりしました。相互の方であっても。

陰謀論から抜け出してからエコーチェンバーという状態であった事を知りました。とても怖い状態です。私の場合は、政治的な話、宗教の話などはよほど近しい人でないと公共の場では話しません。こんな状況に陥っててもそこだけは死守してました。これが救いで、実生活に影響は及ぼさなかったんです。

信じる事が何一つ起こらない。自分の頭の中が完全に世間から孤立してると感じた時に取った行動は、自分が信じていた情報を流していた人たちのフォローをやめた事。ブロックを全部解除。言いなりになって、ブロックした人達に関してはツイートを遡って読んでいきました。

すると敵と思ってた人たちは、ウソを指摘していた事が分かりました。ただ、その指摘の言葉遣いが汚かったりしたから自分の感情を持っていかれて内容が目に入ってなかったんです。実生活で感情に持っていかれる事が多いから、気をつけなくてはいけなかったんだけど…。

しばらくすると、タイムラインに反対の意見も含めていろいろ流れてくるようになりました。そこを俯瞰してると、陰謀論に反証を突きつけて立ち向かってる人たちがいる事に気付きました。今度はこう言う人たちをフォローしていきます。すると、同じように立ち向かってる人たちが増えました。（中略）

最近は身内が陰謀論に取り込まれて困ってる人を見かけたらフォローしてます。私の経験が何かの力になる事があるかもしれないと思って。身も蓋もないですが、説得は難しいと思います。いかにネットだけの世界から遠ざけて、世間と乖離してる自分を認識させる事ができるかにかかってます。

優先順位はリアルな人間関係です。家族、恋人、友人、順位の差はあれど、ネットは最優先ではないです。リアルで信頼関係を損ねたら修復は半端なく困難です。戻らないと思った方がいいです。陰謀論や反ワクチン活動に勤しむ人は、リアルでそれをやると何もかも失って孤独になりますよ。早く気づいて。（後略）

（※傍線は筆者による）

恐れずに発信を！　敵はもう目の前に来ている

とても勇気のある告白だと思う。そして、陰謀論との決別に向けた強い意志を感じる。

さらに、私が傍線を記した部分はエコーチェンバーの本質を突いている。

通常、SNSで一般ユーザーが発信したところで、よほど運が良くなければなんのレスポンスもない。ところが、エコーチェンバーに参加すると、参加者同士がお互いに褒め合うため、普段「いいね」ゼロの人が、突如として大量の「いいね」を獲得する。これが見返りとなり行動がエスカレートする。エコーチェンバー内の空気を忖度し、より過激な意見を書くほど「いいね」の数が増えるのだ。そのため、エコーチェンバーを形成する集団は過激化しやすい。特に、その中で最も影響力のある人間が、過激な意見を選択的にリツイートしたり、コメント付きで褒めたりするとその傾向は助長される。これはまさにカルト教団の使う手口だ。

そして、同じやり方を権威主義国家が使っている。北朝鮮のチュチェ思想はまさにカルト教団そのものだし、中国人民が習近平を面と向かって批判できないのもそれが理由だ。

しかし、自由で開かれた社会は権威主義体制とは根本的に異なる。カルト教団に拉致でもされていない限り、脱会するチャンスは常にある。まして、ツイッター上のエコーチェンバーなど何ら強制的な引き留め手段を持ちえない。別にツイッターに飯を食わせてもらっているわけでもないし、本気で止めようと決意すればいつでも足抜けできる。そして、この一般ユーザーの方のように、その体験を公表してまだエコーチェンバー内にいる人を救出することも自由だ。私はこの勇気ある行動に対して、以下のようなリプを送った。

――一連の投稿読ませていただきました。非常に参考になりました。そして、お帰りなさい。

9月に出版を予定している次回作でこちらの投稿を引用させていただきたいと思います。よろしくお願いします。

――これに対していただいたお返事は以下の通りだ。

――上念さん、長文を読んで頂き恐縮です。私の投稿がお役に立てるのなら、ぜひよろしくお願いします。そしてこの場を借りて謝罪させて下さい。私が陰謀論にハマっている時に一部の大垢に影響され、上念さんを敵認定して、攻撃や侮辱するツイートに乗っかった記憶があります。大変申し訳ありませんでした。

――

私は一人の「防人」を得たと確信した。そして、この方のような「防人」が日本の強さの源泉だと改めて思った。言論の自由のない世の中で「防人」は生まれない。だから言論の自由とその基盤である自由で開かれた社会が大事なのだ。そして、これが守られることは中国にとっては最も都合が悪いことだ。影響力工作に耐性を持った「防人」の存在は、実際にハイブリッド戦争遂行上の最大の障害となる。「防人」を生み続ける自由で開かれた社会は習近平にとって邪魔で仕方ないのだ。

先ほど引用した長文の反省ツイートは最後に以下のような言葉で締めくくられている。

――

身内に陰謀論や反ワクチン活動家が居て悩んだり、踏ん張ってる人たちへ一連のツイートから何か届けばと思います。そんな馬鹿げたことで家族が壊れるのは本当に悲しい。まとまりのない長文ツイート読んで頂きありがとうございました。

――

私はこの一連のツイートがまだ陰謀論に嵌っている人たちに届くと思う。それには科学的根拠がある。陰謀論者が説得できない理由として、挙げられるバックファイア効果が実は成立しないという最新の研究があるからだ。

バックファイア効果とは、自分に都合が悪いこと、信じたくないことに遭遇した人間は、それを拒否してもともと持っていた信念を強めてしまうという心理現象だ。陰謀論者への反論や事実の提示は役に立たないばかりか、逆効果になるという。

その根拠となる実験は2010年、Brendan Nyhan（ミシガン大学）とJason Reifler（ジョージア州立大学）が行った。[※1] アメリカの大学生200人を対象に「政治家の誤解を招くような主張」「誤解を招くような主張と訂正」のいずれかを含む模擬ニュース記事を被験者に読ませる実験を4回行い、その後そのニュースの訂正文を読ませた。その結果、最初の誤認識を低減できず、訂正の内容によってはむしろ誤認識が増加したという。

しかし、この実験はサンプル数も少なすぎたし、対象年齢も大学生に偏っていた。20

18年にThomas Wood（オハイオ州立大学）とEthan Porter（ジョージ・ワシントン大学）がサンプル数を50倍の約1万人に増やし、対象年齢も大幅に広げて再度検証したところ、2010年の実験とは全く異なる結果が出てしまった。※2 5つの実験を行い、52のバックファイア効果の可能性を検証したが、すべての実験においてバックファイア効果が確認できなかったのだ。

巷で言われているバックファイア効果は存在しない。だとするなら、陰謀論に嵌っている人も説得は可能だ。だからこそ「防人」たちは恐れずに発信をしてほしい。もう敵は目の前に来ているのだから。

脚注

※1 When Corrections Fail: The Persistence of Political Misperceptions
https://link.springer.com/article/10.1007/s11109-010-9112-2?LI=true&s=09

※2 The Elusive Backfire Effect: Mass Attitudes' Steadfast Factual Adherence
https://papers.ssrn.com/sol3/papers.cfm?abstract_id=2819073

あとがき

それは本書の初稿を書き終え、編集担当の中澤さんに転送した後の話だ。数時間後に返事があった。中澤さんは私に次のように質問した。

①「防人」の情報発信を陰謀論者に浸透させるために、具体的にどんな手立てがありますか?

②さらに、普通の日本人に「防人」の情報発信を浸透させるには、どうすればよいのでしょうか?

③また普通の日本人が、チャイナの情報ウイルスの感染を防ぐには、自らどのような手立てを企てればよいのでしょうか?

なるほど、そう来るか。確かに読者はそれを求めているかもしれない。では、ここで回答を記そう。いや、いくつかの回答を用意するので読者諸君はこれだと思うものを選んでほしい。

回答1

私のツイッターをフォローしてください。誰が偽物で誰が本物か私がすべて判定してあげます。それから、私は誰がスパイで誰がスパイでないか分かってます。だから、私がターゲットに設定した対象は徹底的に攻撃してください。そうすることで情報ウイルスの拡散を防ぐことができます。

回答2

マスコミの言うことは100％ウソです。ネット上にマスコミと反対のことが書いてあれば、それが真実です。もしそういう情報を見つけたら徹底的に拡散してください。仮にそれがデマだったとしても、人々に警鐘を鳴らす意味で知らしめる必要がありま す。最後は個々人が判断することですからあなたには責任はありません。

回答3

中国は本当に恐ろしい国です。中国を滅ぼさなければ、いずれ日本が滅ぼされます。いま日本に来ている中国人は全部スパイです。そして、中国人と付き合いのある日本人はすべて裏切り者です。まずは国交を断絶し、中国人と裏切り者の日本人を日本から追い出しましょう。そして、日本は核武装してアメリカに頼らずに自分の国を自分で守れるようにしなければなりません。憲法改正はそのためにやるんです。

さて、この3つの回答のいずれかでご満足いただけたであろうか？　仮に満足しなくてもこの回答のどれかを読んで気持ちがスッキリしたなら、あなたはとても危険な状態にあると言える。この回答はいずれも、影響力工作に引っかかりやすい人の傾向に合わせて書かれたものだからだ。

回答1を選んだ人は、自分で考えずに他人に答えを求めるという「易行」をする人だ。第4章で高知東生氏のツイートなどで紹介した通り、こういう人は簡単に「断言してくれる人」に引っかかってしまう。軽率にも回答1を選んでしまったり、シンパシーを感じてしまったりしたなら自戒してほしい。そんな人には、いまこの瞬間から、「断言してくれる人」の主張に根拠があるのかよく検証することをお勧めしたい。

その検証の際に、ポイントになるのが反証可能性だ。ある主張が正しいと言えるのは、その主張のエビデンスが開示されており、誰でも検証し反論できるにもかかわらず、いまだこの主張を崩せない状態にある場合だ。このように、ありとあらゆる反論に耐えてそれでも生き残っている主張を暫定的に正しいこととして、物事を前に進めていくのが科学的思考である。とはいえ、その正しさは常にチャレンジを受けている。もし、有効な反証がなされればたちまち正しさの座は新説に明け渡されることになる。

反論可能性はその主張に①エビデンスがある、②それが開示されている、③誰もがエビデンスを検証し反論できることによって担保されるのだ。逆に、さしたるエビデンスも存在せず、存在したとしても開示されておらず、それに関して検証も反論もできないような主張は反証可能性がない。反証可能性がないと判明した主張は、その時点でダウトだ。100%間違っていると言っていい。例えば、「ワシの勘だが」とか、「これは想像だが」とか、最初からエビデンスに基づかないと宣言してなされる主張は、基本的にデマだと認定してかまわない。もちろん、これらをフィクションとして楽しむのは構わないが、ファクトではないのでしっかり区別すべきだ。

次に、回答2について解説する。これはマスコミ懐疑論を極限まで推し進めた先にある誤謬だ。そして、これも回答1と同じく、自分で考えず安易に答えを欲しがる人が飛びつく「易行」と言える。そもそも、マスコミが常に100%ウソを言うという発想の裏には、マスコミは真実を知っていて常に隠しているという陰謀論が紛れ込んでいる。もちろん、これはウソだ。あの朝日新聞ですら100%ウソは書かない。例えば、福島の原発事故に関する酷い偏向報道でも、一部には事実が紛れ込んでいる。問題はそれに「角度」がついていること、朝日にとって都合の悪い事実が切り取られていることなのだ。だから、全部逆さにすれば即座に真実にたどり着けるほど物事は単純ではない。実際に情報工作においても、デマに信憑性を持たせるために8割を敢えて事実で固めることもあるぐらいだ。

回答3は言うまでもなく単なる差別、ヘイトであり、日本の安全保障にとっては大きなマイナスだ。本当にこんなことを日本が国を挙げてやってしまえば、「習近平の共産党」はその差別から自国民を守る庇護者として存在する正当性を得るだろう。習近平にとって、これほどありがたいことはない。中国を敵視し攻撃しているように見えて、裏で助け舟を出すような行為だ。むしろ、私が中国の情報機関の人間なら、これを煽るだろう。習近平の政策を批判することと、中国人を差別することは全く違う。中国のハイブリッド戦争に恐れるあまり、シノフォビア（中国恐怖症）に陥ってはいけない。

さて、ここであることに気が付いただろうか？　私は中澤さんの質問に正面から答えていない。中澤さんは「何をするべきか」と問うたのに対して、私は「これはしてはいけない」と答えている。全く会話がかみ合っていない。実は、「防人」の情報発信を陰謀論者に浸透させる手立てなどは存在しないのだ。そんな易行があれば苦労しないし、逆にそんな易行があると主張することは反証可能性のない与太話だ。

だから、普通の日本人に「防人」の情報発信を浸透させる方法なんぞ考えている暇があったら、まず自分が「防人」になって発信することを考えるべきだ。

同様に、「普通の日本人に「防人」の情報ウイルスの感染を防ぐ方法」などという易行も存在しない。「私は普通の日本人が、チャイナの情報ウイルスの感染を防ぐ方法」などと決めつけずに、「防人」になるための努力をしてほしい。その努力とは、①「断言する人」について行かない、②誰が言ったかで判断しない、③反証可能性のない主張は切り捨てる、④差別、ヘイトをしない、⑤誤ったら訂正し反省する、といった実践の繰り返しだ。

幸運なことに、日本にはその実践に不可欠な基盤がある。日本は多様な意見に触れ、反証可能性に気を付けながら議論をし、その中から相対的に正しいと思えるものを選び取ることが可能な社会を持っている。その社会とはまさに自由で開かれた社会のことではないか！　第4章でも繰り返し書いた通り、自由で開かれた社会こそが「防人」を生む基盤なのだ。

日本という国は自由で開かれた社会を持っている。そして、それは大きなポテンシャルだ。なぜなら、歴史的経緯から西洋的なポリコレに強く束縛されることもなく、1000年以上前から信教の自由（宗教が違うだけで人を殺してはいけないという倫理）があり、1000年以上前に自力で近代国家を作り上げたからだ。欧米諸国と比較しても遜色がないどころか、むしろ自由度が高いと言えるかもしれない。中国が未だ権威主義と強権的な政策によって人民を押さえつけないと国として成立できないのとは対照的だ。

敢えて中澤さんの「何をするべきか」という問いに答えるなら、それは「自由で開かれた社会を守る」と言うことになるだろう。日本人が当たり前だと思っているこの自由で開かれた社会こそが、情報ウイルスに対する免疫そのものなのだ。

メッスネルの喝破した通り、国家は心理現象である。日本では個々人が誰に強制されるわけでもなく、2000年以上の長きにわたってその心理現象を支えてきた。それを守り、後世に受け継いでいくこと。敢えて言うなら、これこそが「するべき」ことだ。そして、それをする人こそ「防人」の名にふさわしいと私は思う。

上念 司

参考文献

『現代ロシアの軍事戦略』（ちくま新書）小泉悠
『「帝国」ロシアの地政学　「勢力圏」で読むユーラシア戦略』（東京堂出版）小泉悠
『ハイブリッド戦争の時代』（並木書房）志田淳二郎
『ほんとうの憲法：戦後日本憲法学批判』（ちくま新書）篠田英朗
『憲法学の病』（新潮新書）篠田英朗
『れいわ民間防衛』（飛鳥新社）上念司
『経済で読み解く日本史　大正・昭和時代』（飛鳥新社）上念司
『経済で読み解く日本史　平成時代』（飛鳥新社）上念司
『「目に見えぬ侵略」「見えない手」副読本』（飛鳥新社）『月刊Ｈａｎａｄａ』編集部（著）、奥山真司（監修）
『中国４・０　暴発する中華帝国』（文春新書）エドワード・ルトワック（著）、奥山真司（訳）
『目に見えぬ侵略　中国のオーストラリア支配計画』（飛鳥新社）クライブ・ハミルトン（著）、山岡鉄秀（監訳）、奥山真司（訳）
『見えない手　中国共産党は世界をどう作り変えるか』（飛鳥新社）クライブ・ハミルトン、マレイケ・オールバーグ（著）、奥山真司（監訳）、森孝夫（訳）
『誰もが知りたいＱアノンの正体』（ビジネス社）内藤陽介
『習近平「文革２・０」の恐怖支配が始まった』（ビジネス社）福島香織

『百田尚樹『殉愛』の真実』（宝島社）角岡伸彦、西岡研介、家鋪渡、宝島「殉愛騒動」取材班

参考資料

「馬英九政権期の台湾の対中認識と政策」（２０１４年）小笠原欣幸
The World Hybrid War: Ukrainian Forefront: monograph abridged and translated from ukrainian / Volodymyr Horbulin. — Kharkiv: Folio, 2017
國立政治大學選擧研究中心（台湾） https://esc.nccu.edu.tw/
ターゲスシャウ（独） https://www.tagesschau.de/

【著者略歴】
上念　司（じょうねん・つかさ）
1969年、東京都生まれ。中央大学法学部法律学科卒業。在学中は創立1901年の弁論部「辞達学会」に所属。日本長期信用銀行、学習塾「臨海セミナー」勤務を経て独立。2007年、経済評論家・勝間和代氏と株式会社「監査と分析」を設立。取締役・共同事業パートナーに就任（現在は代表取締役）。2010年、米国イェール大学浜田宏一名誉教授に師事し薫陶を受ける。著書に『習近平が隠す本当は世界3位の中国経済』（講談社+α新書）、『経済で読み解く日本史【全6巻】』『れいわ民間防衛』（以上、飛鳥新社）など多数。

日本分断計画

2021年9月16日　第1刷発行

著　者　上念　司
発行者　唐津　隆
発行所　株式会社ビジネス社
〒162-0805　東京都新宿区矢来町114番地
神楽坂高橋ビル5F
電話　03-5227-1602　FAX 03-5227-1603
URL　http://www.business-sha.co.jp/

〈本文組版〉有限会社メディアネット
〈印刷・製本〉モリモト印刷株式会社
〈営業担当〉山口健志
〈編集担当〉中澤直樹

ISBN978-4-8284-2323-4